AIの壁

人間の知性を問いなおす

養老孟司
Yoro Takeshi

PHP新書

はじめに

最先端技術と自然の狭間で

本書に収められた対談は、二〇二〇年に世界中で感染者を出し、現在も収束が見えない新型コロナウイルスの大流行以前になされたものである。テーマはＡＩ（人工知能）で、私自身の中では同じようなシリーズの『日本のリアル』（ＰＨＰ新書）という対談集の、いわば逆向きの感じになっている。『日本のリアル』は有機農業や環境問題に直接に関わっている人たちとの対談で、ＡＩが未来方向とすれば、いわば反対の方向を向いていた。未来に向かってプラスの増加が期待されている分野と、マイナスを減少させることが期待されている分野とでもいうべきか。どちらもその意味では未来志向である。対談ではそれぞれの分野で優れた業績を上げておられる方たちにお相手をお願いした。大げさに言えば、この二冊がカバーする分野の間に日本社会の具体的な将来があると考えている。

ＡＩについては、とくに情報技術の面でコロナ禍《か》以降、社会的に大きな変化が生じた。ウェブ会議やリモート・ワークなど、従来できなかったわけではないが、それほど普及していなかった手段がむしろ日常化し、具体的な面で仕事のやり方が大きく変化することになった。

この対談開始時には、まさかこういう変化が起ころうとは夢にも思っていなかった。世の中、なにが起こるかわからない。これは知識としてはよく知っているが、八〇歳過ぎまで生きてきても、それが身に染みる機会は多くない。コロナ後も対談の中身を変更する必要は特になかった。話題を基本的な問題に限ったからである。

本当に必要なものは何か

対談相手である羽生善治さんも井上智洋さんも、直接にＡＩを対象に仕事をされているわけではない。むしろＡＩの影響が非常に大きい分野であろうということで、ご意見を伺いたいと考えた。岡本裕一朗さんには、ＡＩ社会が進展した場合に生じ得る基本的な諸問題についてのお考えを伺うことができた。新井紀子さんの場合には、そのお仕事と結論に大いに感銘を受けた。

全体の背景にある私の思いとしては、一方では極めて安易に「これからはＡＩだ」となってしまう雰囲気があることを警戒している。とくに中国や韓国で行なわれたことは、当然日本もやらなければならないという雰囲気が目立つように思う。自分自身の必然性から出ていないことをする癖がこの国の社会にあることを心配する。本当に自分に必要なものは何か、それを考えるのが大切だと思う。

二〇二〇年九月

養老　孟司

ＡＩの壁

目次

はじめに　3

第1章　ＡＩから見えてきた「人間の可能性」

羽生善治×養老孟司

第２章　経済はＡＩ化でどう変わるか

井上智洋×養老孟司

第3章　ＡＩから人間を哲学する

岡本裕一朗×養老孟司

第4章 わからないことを面白がれるのが人間の脳

新井紀子×養老孟司

第1章　ＡＩから見えてきた「人間の可能性」

羽生善治 × 養老孟司

羽生善治《はぶよしはる》

1970年、埼玉県生まれ。二上達也九段門下。85年、中学3年生のときにプロ入り。89年、19歳で初のタイトル竜王を獲得。96年、史上初のタイトル七冠を果たす。2017年、永世七冠を達成。18年、国民栄誉賞受賞。著書に『決断力』『大局観』（以上、KADOKAWA）、『直感力』『捨てる力』（以上、PHP研究所）など。

撮影：吉田和本

「局面」で切れない自然をＡＩが扱えるか？

養老　僕が以前、羽生さんにお会いしてから、二〇年。

羽生　そうですね。以前お会いしたときに虫捕りの話をされていて、結構ワイルドで危なそうなところにも出かけて行くとおっしゃっていて（笑）。最近はどの辺りに虫を探しに行かれているんですか？

養老　二〇一九年七月は、初めは台湾に行って、終わりは北海道に行っていました。七月が虫捕りのシーズン。その後はほぼ行かない。

羽生　今回は虫捕りの話題ではなく、お題はＡＩですよね？　広いテーマですが、ＡＩ自体は、どう捉えていますか？

養老　僕はね、「ＡＩって何だ？」と問われたら、基本的には「高級な文房具ぐらいに思ってる」と答えます。パソコンだって、情報処理の道具という意味では文房具の一種でしょ？　その延長線上で捉えていますよ。

羽生　そうですね。この数年ＡＩがブームであることは間違いなくて、私自身、人工知能にまつわる本も出していますし、ＡＩの関係者の方にお会いすることは多いですね。ただ、人によって若干温度差があると感じます。今まで、ＡＩの歴史の中では二回ぐらいブームが起こって、その度に冬の時代が訪れていますから。

とはいえ今回は三度目の正直で、一過性のブームで終わらないように、専門家の方の多くが危機感を持って対処されているように感じます。時代がＡＩに対して騒いでいるのは「一つのブームの流れ」というふうに考えています。

養老　道具として見たときに、実際の仕事に使えるか、というと、パソコンという箱にしてもＡＩというシステムにしても、非常に使いにくいですね。なんといっても、僕らみたいな「虫を捕っていれば幸せ」という人たちが相手にしているのは、自然ですから。

都会とか人間の作ったシステムの中では、ものすごく使いやすいんだと思うんですよ。むしろその環境だと、逆にＡＩの方が人間以上に有効という評価は出てくる。

それでいつも思うんだけど、人間の意識だけで社会を形作って「ああすればこうなる」というふうに原因と結果がきれいに揃う思考だけで物事を考えていると――僕が前から言っている「脳化社会」がそうなんだけど――そういう世界観の中にいたら、人間はコンピュータには、かなわないんですよね。だから、人の仕事がコンピュータに置き換えられるとか、Ａ

Ｉに仕事が奪われるとかいう話になる。だけど僕から言わせれば、そういう原因と結果が必ずきれいに揃うという世界観で仕事をしている方が悪いんだよ（笑）。悪いとまでは言い過ぎかもしれないけれど、もともと、思考の仕方自体が偏っているでしょうと。僕は長いこと、そんなようなことを言ってきたつもりなんですね。

とはいえ、将棋や碁なんかだと、コンピュータは非常に有利ですよね？　まず盤面のマス目の数が決まっていて、ルールがある。その中で、膨大な選択肢があるとはいえ、ある程度手が決まっていきますから。

羽生　そうですね。囲碁にしても将棋にしても、結構前から強いソフトが公開されていますし、ＡＩ化の波が来るのは早かったです。

なかでも将棋は、ちょっと特殊な状況だと思います。ＡＩを使った将棋ソフトを相手に練習を繰り返すプロ棋士もいますし、アマチュアの方も、そうしたソフトに馴染《なじ》んでいます。次々に新しいソフトが公開されたおかげで、誰でも利用できるようになっています。

養老　将棋の世界は「局面」で切れるという意味で、ＡＩ向きなんですよね。ところが、自然を扱うとなると勝手が違う。まず、「局面」が切れない。虫もそうですけど、どこまでが虫なのかという線引きの問題がある。もっと言えば、そこら辺の庭だけを区切ってみても、その中にどういう虫がいるのかは、調べてみなけりゃわからない。調べ始めたとして、きちんと調べるには、捕まえなくちゃならなくなる。でも極端な話をすると、捕まえた途端に生態系が変わって存在する虫の種類も数も変わっていきますから。

生態系って、とてつもなく複雑な世界なんですよ。猫の額ほどの狭い土地でも、そこにウイルスから始まって、細菌、キノコ、虫、ときどき飛んでくる鳥といった、想像を絶するほどの生き物が関係し合っている。そこに、鳥の糞なんかも関係してきますからね。そういうことを考えると、生態系って実は完全に定義はできない。だけど、それをなんとかわかったふりをするんですね、人間は。

実際に自然を扱おうとすると、とても簡単に計算はできませんよ。調べるという行為自体が相手を乱しますから。量子の世界も、そうです。観測の問題として有名なのが、「不確定性原理」（注：ミクロな領域では、粒子の位置と運動量は正確には決められず、「不確定性関係」が成り立つという、一連の定理の総称）。測定しようとすると、途端に相手に干渉するという意味では、量子も自然物なんですね。だから、そういう根本的な問題がいくつも出てきちゃう。

「脳化社会」の矛盾が明らかに

養老　そう考えてみると、ＡＩの世界というのは自然の対極にあるものなんです。不確定要素を全部削《そ》ぎ落として作っている世界ですから。いわば、抽象的な世界ですね。だけど、誰でもわかっていることだけど、実際の人間の世界は変数だらけだよと。そういう抽象的な仕事は全体の半分にしておいて、もう半分は適当に仕事しておいた方がいいですよ、というのが、僕の昔からの意見なんですね。

　羽生さんだって、毎日将棋やるだけじゃないでしょう？　人間の生活だって、いろいろ変数みたいなのはあるわけだから。

羽生　まさに今も、将棋じゃなくてＡＩのことで対談させていただいています（笑）。

養老　ＡＩそのものが問題なのではない。人間の営みの中で、ＡＩが占めるウエイトが一番問題なんだ。ＡＩに仕事が置き換えられてしまうと騒ぐのは、何も、ＡＩが出てきたから突然問題が噴出したわけじゃない。それまでその人がしてきた仕事だったり、物事の考え方だったりに問題があるんじゃないかと。物事を抽象化した世界だけで完結しようとした帰結として今がある、ということだから。そういう意味で言うと、ＡＩだけを悪者にするのはお門違いだと僕は思う。

人はパンドラの箱を開けてしまう

養老　ＡＩは、将棋や囲碁の世界では、結構具体的な形で成果が出始めている。そういう先行分野が世の中に対してインパクトをもたらしているという側面はあるんだと思うんです。
　最近、なぜＡＩ技術がここまで進んできているのかというと、一つは計算処理能力が上がってきているという側面がある。その他で言うと、例えば画像処理の技術などが進んできて、ほかの分野に転用できるというところに、ＡＩが当てはまったと。そういう要素が非常に大きいのかなと思ってね。

羽生　確かに様々な技術要素の進展と合わせてＡＩの用途が広がっていて、転用できる分野は広がっていますよね。画像処理の技術を内視鏡カメラによる消化器系のがんの診断に使うとか。ＡＩの機械学習との組み合わせが非常に利いてくる分野ですよね。
　結局、医療でも将棋でも囲碁でも画像認識でも、人間から見るとジャンルは違うんですけど、コンピュータにとっては、限られた空間の中に存在している特徴を見いだすという点では同じなんですよ。その定義や設定を置き換えるだけで、すごいことがいろいろできると。ただ、それこそ養老先生がおっしゃっているように、自然界のようなカオスの事象とか、不確定要素がとてつもなく多いもの、ランダム性があるものなどは、とりあえず横に置いておいて、できることからやっていこう、というのが今のＡＩのスタンスなのかなと思っています。

私自身は、ＡＩという技術の進展を肯定的に捉えているかどうかで言うと、もう好きか嫌いかと言っている暇《いとま》もなく、「いずれにしても進んでいく」という時期に立たされているような気がします。どちらかといえば、「もう、そうなるところはしょうがない」という感じですね。実際もう、一部分は生活の中に取り込まれてきていますから。だから、肯定や否定をする前に、すでに人間生活に浸透してきているものに対してどう対処していくか、という思考の仕方で考えていった方がいいのかなと。ＡＩが一切ない世界だった過去には戻れないですから。

ただ、もう一つ重要なことがあります。現在ＡＩ開発をしているのは、超大企業が多い。しかし今後、汎用《はんよう》的に普及して実用化していこうという段階になったときに、やはりエネルギーの問題は、絶対出てくると思うんです。膨大な電力を使うという点で。
そう考えてみると、小さいエネルギーで大きな処理をするというモデルとして、一番参考になるのが人間の脳じゃないかと。最終的に汎用的なＡＩを作ろうと思ったら、脳の研究は絶対必要になるなと思っているんです。ただ、脳の研究自体がものすごい、エベレストみたいなところなので（笑）、容易には踏み出せない。だったらもう少し簡単にできるところからやっていこうというのが、今のＡＩ開発の実態なんじゃないかなとは思います。

養老　一方で、開発の未来を考えたときに、人って「できる可能性のあることはやる」というか、「できることは何でもやっちゃう」という、ある意味では悪い癖がある。そこも考えていく必要はあると思いますよ。
原子力工学がそうでしたよね。私が若い頃は、原子力工学は、勉強ができる優秀な連中が専攻する分野だった。東大でいうと、元総長の向坊隆《むかいぼうたかし》さんが、東大の工学部に原子力工学科（注：現在はシステム創成学科に改編）を創設した人ですから。

羽生　ああ、そうなんですか。

養老　はい。その時代までが、おそらく日本の原子力技術のピークでしょうね。原子力工学なんて、原因と結果がきれいに揃う、つまり「これがあって、こうなる的思考」の極みの学問でしょ。僕はＡＩを否定するわけではないけれど、いずれ、どこかの領域でそういう問題も起こってくるんじゃないかと思うんです。

僕が一番困る領域だと考えているのは、生物が絡んでくる分野。生物がＡＩ的に扱われてしまうんですね。これはちょっと危ない。

どこまで突き進んで行くのか危ういなと思う分野というのは、生物学界隈でいろいろ出てきていて。例えば、「ゲノム編集」みたいな分野は、何が何だかまだわからない状況の中で、キーワードが流行《はや》ると、メディアにバンバン情報が出てしまう。

羽生　倫理を横に置いて技術が先行してしまう典型的なケースだと思います。

養老　ＡＩに限らないけれど、先端技術でもって生き物を扱うと、「こうやると、こうなる」を続けた先に、「あれ、やっちゃった！」ということが出てくるのは十分にありうること。そうなってからじゃ、どうしようもない。究極的に言えば、人間にその技術を使っちゃったら、後戻りができないです。

羽生　でも、人間はやってしまう……誰かがパンドラの箱を開けちゃうんですよね。

養老　そうすると、とんでもない混乱も生まれるでしょうね。「人造人間の奴らをぶっ殺せ」とかね。見た目は見分けがつかないから、訳のわかんない話に発展しかねない。

AI化で生じる「物事のブラックボックス」化

羽生　二〇一六年に韓国の囲碁棋士、イ・セドルさんが、人工知能「アルファ碁（AlphaGo）」に敗れたというニュースが流れました。アルファ碁はすごいインパクトで、劇的に人間とAIが逆転したんだ、という歴史的瞬間の印象がありましたね。

私は将棋のソフトの進展を横目に見てきましたから、機械学習の威力は感じてきたし、いずれ追い抜かれるというのは、もちろん予想はしてたんです。けれど、囲碁のトップ棋士は五年から一〇年は負けないだろうと、ある程度AIなり、囲碁ソフトなりに通じている人たちの中では囁《ささや》かれていましたので。

私はその対局の一カ月前に、NHKの番組の取材で、アルファ碁を開発したデミス・ハサビスさん（ディープマインド社CEO）にインタビューをしていたんです。それに、対局の二週間前には、イ・セドルさんがソウルで開いた記者会見にも足を運びました。ロンドンのハサビスさんとも中継でつながっていて、その現場に大勢集まった取材陣までもが、「そんなまだ負けるわけないよ」というような見立てでした。その一方で、ディープマインド社の面々は、もうヨーロッパチャンピオンを負かしているから、内心は自信満々の雰囲気で、ＡＩに対する温度差と時差が感じられて、興味深かったですね。

もちろん将棋界も、当初は棋士たちの中にＡＩに対する抵抗感はありましたよ。今でも全然ないとは言いません。でも、囲碁界に比べると、将棋界の方がＡＩを受け入れる段差はゆるやかでした。強い棋士が負けたり、ときどき勝ってみたり、ちょっとずつ段階を踏みながら追い抜かれていった歴史がありますから。徐々に受け入れていく時間的猶予があったというか。「ああ、やっぱり人間は負けるんだ」という事実を受け入れていくときに、時間という要素は非常に大事なんだなとは思いますね。

だから、一般社会で考えてみても、ちょっとずつ、ちょっとずつ、仲間入りさせていくソフトランディングの方が、受け入れやすいと思います。

ただ、囲碁界も今や、アルファ碁に敗れたときのような衝撃や抵抗感はある程度拭《ぬぐ》われて、意外と早くＡＩがある世界にシフトしたような印象もあります。だから、ＡＩに置き換えられるところに関しては、いきなりバッと変えてしまう形になったとしても、人間は意外と早くモードを切り替えられる可能性もあるなと思いました。

養老　僕は囲碁のニュースは、あんまり関心なかったですね。だって、人間の一〇〇メートル競走に、いきなりオートバイが選手として出てくるわけねえだろって、いつも言っているから（笑）。囲碁・将棋などの目的に特化しているＡＩプログラムですから、そんなのにかなうわけないでしょって。

ただねえ、不思議だと思うのは、ああいうソフトを企画して作った人が裏にはいるはずで、言ってみれば、その「人」が負かしたわけですよ。あるいは、威信をかけて勝負に挑んでいるのはディープマインドという「会社」と言ってもいい。それなのに、「ＡＩが人を負かした」というストーリーだけが一人歩きしている印象が強い。

羽生　またすごいのは、その、ソフトを作っている人自身が、あまり囲碁や将棋のことをわかっていないというところです。ディープマインド社が開発した最新版の「アルファゼロ（AlphaZero）」というＡＩがあって、囲碁も将棋もチェスも、それぞれ最強と言われていた既存のソフトに勝ってしまい、一気に最強の座をもぎ取りました。開発の人から連絡が来て、論文を出したいので将棋の棋譜の解説をしてほしいと依頼されました。開発をされた人たちは結果から強くなっているのはわかるようですが、その内容についてはよくわからない（笑）。棋士は棋譜の内容については解説ができるが開発の内容については皆目、わからない。だから、全体像が見える人間は誰もいないことになります。また、深層学習は特にそのプロセスで何が起こっているかわかりにくい側面もあります。

ですので、これからＡＩが人間に受け入れられるか否かの最大の鍵は、このような「ブラックボックス」をどう評価するかという課題だと考えているのです。そのブラックボックスのところによって、大きな成果や結果が出ているけれど、社会的にそれが受け入れられていくかどうかというのは、各々の分野で議論や分析が必要ではないかと。

将棋や囲碁なら、ブラックボックスのままで、「よくわからないけれど、手強い新手ですね」と判断を下してもいいのかもしれない。だからと言って、じゃあ、医療の診断などでブラックボックスが日常になったら、「ＡＩが、がんの可能性は〇〇％と言っているから、信じましょう」と言われて、「どうしてですか？」と質問すると「いや、根拠はわかりません」という答えが返ってくる。それを許容できるかどうか。

また、養老先生が対談の冒頭で、ＡＩを「便利な道具」というように表現されましたけど、将棋はまさにそういうものなんですよね。人間が持っている能力や才能を伸ばすためのツール。ＡＩのそういう使い方を、先行して提示しているのが将棋界なのかもしれません。その利点を強化して、道具として使いこなしていく道はあるのかなとは思っていますね。

例えば、将棋のソフトが世に出回って、ＡＩの将棋に触れた後の方が、強くなる人は増えると思います。人間同士だけで戦ってきた場合に得られる自己ベストの棋力から、さらにレベルを上げていく人が続出するでしょう。

あまり良い言葉ではないのかもしれないですが、将棋のような対戦ゲームやボードゲームなんかは、実社会や人の生き死にには直接的な影響を与えないので、実験やシミュレーションに向いていています。「ＡＩの良い使い道」を模索する指標になるのではと思います。

養老　僕が羽生さんのＡＩにまつわる本を読んでいて感じたのは、ＡＩの「ツールとしての使い道」を提示している部分が非常に健康的だなと。そういうふうに使うものなんですよ。それが本来の、ＡＩの仕事だったんだから。

画一化の弊害——高血圧と東大医学部偏差値

養老　医療界もＡＩの活用が盛んに言われているけれど、医療分野で「診断を機械にやらせよう」という発想は実はそれほど新しいものでもない。人間が診断のシステムを開発し始めたのは、結構昔のことですよ。そういえば、東大の先生が診断機械を作っていたなあって。僕の記憶にあるのは、僕がインターンのときですから。

羽生　そうなんですか。というと、数十年前？

養老　一九六〇年代の初めですね。高橋晄正《たかはしこうせい》さんっていう、東大の物療内科（物理療法内科、当時）の先生。その頃は講師だったかな。真空管のコンピュータで診断機械を作っていたんです。「脳腫瘍《しゅよう》の診断だったら、当時の専門医の診断に匹敵する精度」と言っていましたね。でも、一九六〇年代でそこまでのレベルに達していたのに、それ以後、時間が経ったわりには機械による診断って全然進んでいないなと。これ、囲碁や将棋とは違うな、なぜだろうと考えて思い当たるのは、多分、医者の抵抗がものすごいからなんですよね。

羽生　人間的な駆け引きが、診断を受け持つパーセンテージの引き下げに利いてしまうと。

養老　そうそう（笑）。先ほど羽生さん、ＡＩがブラックボックスを内包する危うさを語っていらしたけれど、「機械に任せちゃ、危ない」と煽るのは、もともと医者の傾向じゃないですかね。「自分の仕事を取られる」っていう危機感。まあ、ＡＩの診断の方が正確だと信《しん》憑性《ぴょうせい》が増していって、いずれ、診断の分野でも医師と機械の立場がガッとひっくり返るかもしれないけれど。

高橋さん、僕にいろいろと文句を言っていましたよ。そもそも、医者の診断自体が統一されていなくて、みんなバラバラにやっていると。例えば、検査一つとっても、当時から、いろんなやり方がある。前提となる基準が統一されていないような分野は、コンピュータで扱いにくいんですよ。

例えば、肝機能の検査は、当時は統一されていなかった。検査の手法も診断の基準づくりも、病院や医者の好みでやってましたから。それを、できるだけ統一しないとコンピュータで扱えない。

ただねえ、僕ら医者はむしろ、統一化や画一化の弊害の方が大きいと感じてきた。現役の間はね。人間をそういう統一した基準で測っていいのか、と。人間の知能を測るIQという基準なんて、典型でしたけどね。ここにきて、IQは使わなくなってきたでしょ？　逆に揺り戻しで、あんまりにも知能の高低に触れないのもどうかねと、問題視する向きも出てきたけれど。

これは実は、根本の問題ですよ。人間の学力を測るのに、偏差値という方法がある。みんな、偏差値は特別な計算式で割り出していると思っているかもしれないけれど、あれ、数学でいうと「正規分布」だから。グラフにして左右対称の山の形になるという、統計学の一つのモデルだね。「正規分布」は、ものすごく汎用的な計算の手法でね。血圧の高低を決めるのにも使われているぐらいだから。

羽生　血圧の偏差値ですか（笑）。
養老　だって、両方とも「正規分布」で決めてるんだよ。
羽生　言われてみればそうですね。
養老　標準偏差の二倍のゾーンに九五％が入ると正規分布。グラフの山で言うと、ギュッと真ん中が盛り上がっている形。すそ野に行けば行くほど、標準から外れた人ということになる。大学入試のセンター試験って、正規分布するように配点を調整するんですよ。
羽生　あ、そうなんですか。
養老　少なくとも僕が大学で教えていた頃は、そうしていました。正規分布になるように試験の配点を決める。東大の医学部に入ってくる連中なんかは、偏差値で言ったら、ものすごく高いんですよ。血圧でいうと、完全に「高血圧」です。だからあの連中は、治療しなきゃいけない。
羽生　そういうものですか（笑）。
養老　冗談みたいだけど、どこか本質も衝《つ》いた話でね。あるとき、若い教授が「養老先生、東大医学部は日本中から優秀な学生を集めたはずなのに、卒業する頃にはバカになっている」って怒ったわけ。僕は、言ってやったんだ。「そうやって集めた東大生は、偏差値を血圧に置き換えて言うと、『治療しなきゃいけない人たち』なんだよ」って。だから、入学したら、むしろバカになるよう補正して世の中に出さなきゃいけないでしょと。

羽生　補正治療をしているんですか（笑）。

養老　「高血圧」なら、値を下げて出さなきゃいけないでしょ。僕、疑問に思うんですよ。どうして身体のことだと、「偏差値」が外れたらいけなくて、頭だったら外れなきゃいけないのかって。「これ、ダブルスタンダードじゃないの？」と。世の中の親たちは、子どもが東大の医学部に入ったら喜びますけど、みんな本当は、入院しなきゃいけない状況なんだよ。要は、社会が「頭のことに限っては、外れた方がいい値」とバイアスをかけているということです。それがまさにＡＩ化が進んでくる背景と重なる。「高血圧」なのに褒《ほ》められる、必死で「高血圧」を推奨しているわけだから。どんどん、どんどん、高くしようとするわけ。

羽生　ちょっと視点を変えて、私は「高血圧」の人がどこまで人の伸《の》び代《しろ》を作れるかに興味があります。陸上のウサイン・ボルトの男子一〇〇メートル世界記録が、九秒五八。もう何年もこの記録は抜かれていない。それでも、人間の肉体で走れる限界値が九秒〇二ぐらいだという話を聞いたことがあります。じゃあ、人間の知能はどうなのでしょう？　まだまだ進歩の余地があるのでしょうか？

養老　知能って、いろいろな測り方がある。大事なのは、「何を測るか」ですね。

ＡＩ時代だからこそ見えてきた「人が生きるとはどういうことか」

羽生　なるほど。例えば、この数年盛んに言われているのは、人間の仕事がＡＩに置き換えられていく、ということ。もちろん、全部じゃないでしょうが、一部にはやはり奪われてしまう職種も出てくると思うんです。この置き換えはホワイトカラーから始まると指摘されることもあります。そういったときに、むしろ人間がやらなければいけない仕事、生き残るのに必要な能力とは、どういうものになると思いますか？

養老　案外、人のおおもとに立ち返れ、ということかもしれないよ。僕ね、ＡＩが人の暮らしに入ってきて、面白いと思うのは、こういう時代になって初めて、「人が生きるとはどういうことか」と、みんなが考え始めたこと。人間の課題が、古代からある普遍的なテーマに戻ってきている。

羽生　むしろＡＩの時代だからこそ、哲学が必要だと。

養老　ちょっと滑稽《こっけい》な感じもありますけどね。「ブラック企業」というキーワードもそう。あれも、「仕事も、適度にね」「仕事は人生じゃないんだよ」ということが普通になったから出てきた言葉でしょう。当ったり前のことを、わざわざいろいろ考えなきゃいけない時代とも言えますね。

羽生　例えば、アルファ碁は機械学習で三〇〇〇万局ぐらい練習しているんです。人間が一生、一生懸命やり続けても一〇万局ぐらいですからね。AIと人間とでは、時間の観念が違い過ぎる……。まあ、AIに、時間という観念はないですが（笑）。

そういう根本のところからまるで違うものが出てきたときに、圧倒されているだけではなく、逆に、人とは何なのかということを考えてみるのは大事なことですね。だって、仮にAI側から「人間は、限られた時間の中で何をやろうとしているんだ?」という視線で眺めてみたら、ちょっと違った景色が見えてきます。実は、今はそういうことが問われているのでは、と思います。

養老　ところがさっき、機械にお株を奪われたくない医者の話をしたけれど、ここまで作ってきた社会は、簡単に壊せなくなっちゃった。これが困るんですよ。しかも、壊せないぐらい堅牢な組織なり、システムなりを作り上げた人が、力を持ってしまっている。

例えば、車なんかもそうだよね。便利だけど、様々なリスクや欠陥を孕《はら》んでいる。今まで車が殺した人間の数は、戦争より多いと言われている。だけど、今さら止められないのはここまで「作っちゃった」からでしょ？　ここまで車を暮らしに浸透させちゃうと、車がある前提でいろいろなことが作られているから、どうしようもないと。じゃあ、自動運転車ならどうだと。

羽生　自動運転車は、実際、私も乗ったことがあるんですが、外から見て一般の車と見分けがつかないんですよね。開発の方からお話を聞いて、非常に面白いなと思ったのは、例えば暗闇の道を走るとします。人間にとって、暗闇は運転しにくいですよね？　でも、自動運転車のＡＩにとっては、暗闇はとても走りやすいそうなんですよ。理由は、条件が一定だから。その代わり、日が昇るとき、あるいは日が沈むときは真逆です。光と影が交差して、道路のセンターラインと、日光の影としてできるラインの識別がつかなくなるらしい。ＡＩにはＡＩなりに苦手な条件があるんですね。そうすると、人間とＡＩと、どっち側がすごいと張り合ったり、賛美したり、卑下したりするのではなく、互いに得意不得意があるということになるのかなと。そこは忘れてはいけないところだと思うんです。

養老　そもそも、既存の車自体が各地で事故ばかり起こしていて、自動運転車だってどんなエラーが出てくるかは未知数。そんなに危ない代物なんだったら、じゃあ、人が車の事情に合わせて暮らすかという発想にもなる。けれど、どれだけ対策しても限度がありますよ。

自動運転車の議論がまずい理由

羽生　昔、マイケル・サンデル教授の「白熱教室」という哲学の授業でよく引き合いに出されたのが、「トロッコ問題」。あれは五人を助けられるのなら、一人を犠牲にしてもいいのか、といった思考実験ですよね。

養老　トロッコ問題は、人間が本来的に抱えている矛盾ですよね。『リスボンに誘われて』という映画（二〇一三年、原作『リスボンへの夜行列車』）があって、舞台はポルトガルで、医者が登場人物でね。自分の診療所の前で秘密警察のボスがテロに遭って大けがをする。その医者は彼が秘密警察のボスとは知らずに、治療しちゃうんです。ところが実は、その医者はサラザール独裁体制へのレジスタンス（抵抗運動）に加わっていた。つまり、宿敵の命を救ってしまったわけです（笑）。

羽生　それは困りますね。

養老　周囲からは、「なんで助けたんだ」と袋だたきにあう。医者なんかはしょっちゅう、そういう葛藤《かっとう》を抱えている。

そうやって考えていくと、ヒットラーを上手に殺したら、どれだけの人が助かったかという話に行き着きます。これこそ、究極のトロッコ問題です。

羽生　昔はトロッコ問題が哲学の話で収まったけれど、いざ自動運転車を実用化しようという話になったら、ルールを決めないといけない、となってきた。現実の世界で事故が起きたら、誰の責任にするか。そもそも、意見を統一できるものなのかとか、議論がゴチャゴチャしている。

養老　僕は自動運転車を社会に実装したらという、「タラレバ」の議論なんかを聞いてると、アホかって言いたくなるときもある。「こうなったら、ああなったらどうする」という話が、延々と続く。

羽生　誰がやるのか、責任をどうするのかというのは、まさしく社会関係の話ですよね。技術よりもそこの合意をどう取り付けるかが大変なんじゃないかと。そちらの方が技術の開発よりもはるかに難しい気がします。

養老　本来、人身事故は命のことだというのに、いつの間にか「保険かけてんだから、誰かに事故の責任を取ってもらわないと」とか「ＡＩだって罰したらいいんじゃないか」とか、話の筋が変わってくる。

いくら人間より漏れがないと言ったって、コンピュータが運転したら、バグがあるに決まってるんだから。とんでもないバグがどこかに潜んでいるかもしれない。それはしょうがないですよ。それなのに頭の中だけで考えてやっているから、議論を論理的に詰めて、詰めて、終《しま》いには奇妙なことを考え始める。残念なのは、局所の視点に陥って、全体のバランスを取る人が誰もいないという点です。これからますます難しい時代になってくると思いますよ。

まず言えるのは、ごく単純に身近なところから考えて欲しいということ。例えば、人が生きるとはどういうことか。少なくともＡＩに関わる人は、そこにある程度合意がないとダメですね。

人間がAIに合わせる社会は息苦しい

養老　実際、自動運転車の事故で人が死ぬ事例は現実に出てきているわけだから。ただ、以前、池袋で年寄りが運転中に自転車に乗った母子をはねとばした。おそらく、自動運転の機能を入れていったら、ああいう事故は減るでしょうね。

羽生　そうですね。間違いなく数は減ります。

養老　だけれども、数が減ればそれでいいのかって話。

実際のところ、自動運転車が走る路上で、ああなる、こうなるを考え出したらキリがない。あちこちで、アクション映画並みに高度でアクロバティックな動きでもって危機を回避する車があっちこっちに溢れたら、本当にアクション映画みたいな、殺伐とした道路状況になるかもしれない。そうしたら、現場は、一瞬一瞬がジャッジの連続で、そのジャッジには、トロッコ問題も当然入ってくる。殺していい命と救うべき命。果たして線引きができるのかと。

考えてみると、今だって、現場ではすでにそういう状況が起こってるんですよ。例えば、医療現場はいつもそう。昔の話ですけど、東大の小児科に、人工呼吸器が七台しかない時代があって。すべての機器をフル稼働して治療しているところへ、人工呼吸器が必要な新しい患者が入ってきたらどうするか？　その患者を受け入れるなら、誰かの呼吸器を外すしかない。さもなければ、患者さんを追い返すしかない。そういう「トリアージ」の問題って、医療現場では日常的に起こっていますよね。その都度、状況で判断していくしかない。

それを、理屈ですべて詰めようというのは、どこかおかしいと思うね。本来の解決法は、それを理屈で詰めなくても良くなるような状況を発生させること。つまり、「自動運転にしない」と。自動運転にするから、理屈で詰めざるをえなくなる状況が発生する。

自動運転を採用するんだったら、やっぱり運転者の責任だ、運転者に当たるのが誰なのかは、その都度決めなさい……そんなふうに考えていったところで、どこかに人間が出てこないといけないないですね。後で揉めるのが嫌だから先に全部決めちゃいましょうと。おのずと「AIにも責任を」、なんて声も上がってくる。

だから結局、そういう問題をぎりぎりと論理で詰めることは、本当はできないんだという結論になってもいいと思うんです。論理の問題じゃない。状況の問題なんだと。

羽生　ただ、現実的には、実用の段階になったら結局は人間がAIに合わせざるをえなくなるんじゃないかなとも思っています。AIが人間に合わせようとすると、割り切れない問題が多過ぎてあまりにも大変だから。
飛行機でも電車でも、すでに自動運転のモードで往来しているじゃないですか？　一つの考え方としては、飛行場や線路内に人が立ち入れないように、車の場合も、道路に人を入れないようにして、全部の道を高速道路と同じようにしてしまうという選択肢もあると思うんです。それならば、道路に入って事故に遭ったケースがあったら、道路に入った人の自己責任ということになる。

ただ、人間がＡＩに合わせる社会は、生きにくいに決まってます（笑）。ＡＩに人間が気を遣って生きていかなきゃいけないわけですから、とんでもなく息苦しいはず。そこまで先読みして、人がより快適に、自然に暮らすには、そもそもどういう社会にしていけばいいかと考えてみる。先ほど、「人間はパンドラの箱を開けてしまう」と言いましたが、一方では、ＡＩに頼らない社会の選択も、検討の余地はまだあると思っています。

機械の暴走か、極上の最善手か

羽生　今後、ＡＩに委ねる領域は拡がるでしょうが、人間だけでなくＡＩだってミスを起こします。ミスをするのが少ないのは断然ＡＩの方でしょうが、ミスしたときのダメージが圧倒的に大きいのも、きっとＡＩの方だと思います。

人間がＡＩをどう受け入れるかについて考えたときに、二つの考え方があると思うんです。一つは、「ＡＩというのは、もうそういうものだと割り切って受け入れるしかない」という捉え方。もう一つは、ＡＩを絶対的なものとして見ないようにするという捉え方。私は後者が大事になってくると思っています。人間は、システムだったりＡＩだったりに「依存」した瞬間に、完璧なもの、絶対的なものと勘違いしがちです。

養老　二〇一九年に、横浜市のモノレール「金沢シーサイドライン」だって逆走した。あれ、レールの上を走る、自動運転の車両でしょ？

羽生　そうでした。人間でも想定できないようなアクシデントも起こります。だから、ＡＩは絶対かと言えば、それは違うんです。自動運転車だって、何かの拍子で故障もするものなんですから。

養老　しかもＡＩは、ひとつも反省してない。

羽生　東大の松尾豊先生なんかは、結構そういう話をしていますね。ちゃんと謝って言い訳できるＡＩを開発しよう、という（笑）。ＡＩに法人格を与えようという話もありますね。本当はＡＩの言い訳には全然意味がないんですが、何かちょっと、意味あり気な言い訳はしますからね。結局、信頼性のありそうなＡＩとそうじゃないＡＩとで、分かれてくるような仕組みが作られるかもしれません。じゃあ、悪さをするようなＡＩの開発をした責任は誰が取るのか、といった問題は、いろいろ起こってきます。

例えば、最近の技術でＧＡＮと呼ばれる敵対的生成ネットワークという手法があって、二つの敵対するエージェントを作り、切磋琢磨《せっさたくま》して強化する。たとえて言うと贋札《にせさつ》犯とそれを見破る警察官のような関係で、それを繰り返すと贋札犯もそれを見破る警察官も共にスキルが上がります。ＡＩには善悪の判断はないので活用する人間が問われることになります。現在のハッカーとホワイトハッカーとの関係とも似ているかもしれません。

それが今後、さらにバージョンアップして展開する可能性もあると思います。

ＡＩ時代の教育に必要なのは、「五感によるインプット」

羽生　将棋で言えば、コンピュータと人間の価値観の差異として、時系列を意識するか否かの違いは大きい。人間は時系列を意識しながらインプットをしていく生き物です。

それに対して、コンピュータソフトが選択していくのは、どれも素晴らしい手なんですが、一手一手、その瞬間に一番評価値の高い手を選んでいくことの繰り返しです。だから、人間から見ると、時系列がつながらずに全部が点。非常にまばらに見えるんですよ。一貫性がないんです。

人間が心地よく感じる、自然だなと感じるのは、そういう点が線になり、それぞれの指し手がちゃんと連鎖しているものなんです。だから、逆に言うと、そういうソフトの手に触れていくことによって、人間の美意識が変わる可能性もあると思っているんです。

ただ、こうした「人間を強化するツール」としてのＡＩにも、困った面があります。例えばＡＩは「答えらしきもの」を教えてくれる。人間が先生やコーチから教わって上達していくとき、普通はプロセスから学んでいきますよね？　でも、将棋のＡＩが提示するのは、「問い」と「答え」だけ。相手がこの手を指すなら、最善手はこれ、勝つ確率は何％という「答え」だけがパソコンの画面に表示される。問いと答えの間に飛躍があっても、強い疑問を持たずにすっと飲み込む。そういう育ち方をして、果たして今の五歳とか一〇歳ぐらいの子たちが健全に育つのか。そこはまだ、わからないところが多いです。

養老　そう考えると、今の子どもに準備しなきゃならないのは、答えとしての「出力」ではなく、いかにいろんなプロセスを経験させるかという「入力」の方なんですよね。まず、五感を鍛えろと。せっかくこれだけたくさんの感覚器を持ち合わせて人間は生まれてくるわけですから、子どものうちはやっぱり、あらゆる感覚を訓練しないことには、生き物として話にならない。

人間が育つ上で大事な訓練には、二通りある。世界を広げていく方法と、深めていく方法。広い知識をインプットしていくとか、ガツガツ論理で計算していくとか、ＡＩが向いているのは前者。でも、後者の「深めていく」というのは、極めて人間的な営みですよ。美意識なんかとも関係してきますよね。

例えば僕がずっとやっている、虫の分類。あれなんか、標本に似たような虫がズラッと並んでいて、形状の違いも面白いんだけど、分類してきた歴史の時系列も、わかってくると面白い。少し遡っていくと、どんなふうに発見されてきたのかまで、歴史の「筋」が見えてくる。特に歳を取ると、そういうことが面白くなってくるんですね。それって、生産性みたいな切り口で見たら、何の役にも立たない。

「今の時点ではこんなふうに分類されています」というライブラリーが単なるデータとして蓄積されているだけでは、何も面白くない。ここまで分類されてくるのに、実はこんな積み重ねがあったとか、情報を深められる話まで入ってくると、豊かな情報になって見える世界に厚みが増してくる。

俯瞰《ふかん》してみると、現代は情報をどんどん分類して、それで終わりなんだよね。さっき、羽生さんは「ＡＩには時間の観念がない」と言ったけど、つまり、裏を返せば僕ら自身がコンピュータ浸《づ》けになってるんですね。

教育を考えると、そういう分類で物事を切っていく作業と違って、まさしく「積んでいく工程」なわけでしょ？　一生を見渡しながら段階ごとに積んでいくことに意味がある。しかも、先行きがわからない世の中をどうかい潜《くぐ》っていい人生を送るかと考えていくと、一体何の準備をしていけばいいか？　そんなの、論理で決めるわけにはいかないんですよね。計算や漢字といったイロハみたいなことで、できることの幅を広げてやる教育は手前にあるんだけど、僕はそれと併せて大事なのは、なんと言っても子どものときから五感を鍛えるということだと思う。それはずっと一貫して言っていることなんです。

五感を働かせられる社会では、AIは非常に役立つ

羽生　アメリカにミネルバ大学というところがあって、一拠点に留まらず、世界中の七つの都市を何カ月かに一回ずつ移動していって、授業は全部オンラインで完結するらしいんですよ。つまり、現地でのフィールドワークを大事にしたカリキュラムが組まれていて、一つの

学校という箱に閉じ込めていない。実に軽やかな教育だなと感じます。

そんな事例からも、これから先の教育は、ずいぶん変わると思っているんです。もちろん机にかじりついて一生懸命勉強することも時期によっては大事だと思うんですが、実社会の知見を広めるとか、多彩な経験を積むとか、それこそ五感を働かせる機会を増やすとか。そういうところが大事になるのではないか、と。

養老　いや、僕もそういうふうに変えたい。そういう世界を、どんどん作った方がいいと思うよ。そういう世界でＡＩを使うと、非常に役に立つんじゃないかと思うんだよ。つまり、野放しにされている子どもたちにとっては、学校は逆に「いいところ」なんですよ。問題なのは初めから全部、囲っちゃっているということだから。

羽生　確かに、そういう見方をすると、学校って本来はソフトの機能なんですね。

養老　今みたいな小学校という「箱」は、もういらないと思っていて。子どもたちは、あの箱に詰められて、学問も詰め込まれて、もはや虐待ですよ。だから、九月になると自殺が出る。とんでもないことでしょ？　そういう事態を招いていることを、先生方が反省しないということがおかしいと思う。そもそも子どもなんて簡単に自殺するもんじゃないよ。

羽生　それは、本当にそうですね。

養老　でも、僕の目から見たら、根本的には先生の集団が教育を妨害してるな、という感じですよ。

羽生　だんだん、リアルの世界の話になってきました（笑）。

養老　そう。結局、そういう集団ができ上がっちゃうと、政治でも何でもそうだけど、既得権が生じてしまう。既得権の中にいる人たちは、僕らが今こうして話しているような、「子どもたちの幸せ」なんていうことを根本に置いては考えていない。だけど僕は、子どものときに幸せを感じさせるということが、非常に大切なんだと思うんだよ。なぜかというと、いったん幸せを感じたことがある人は、またあるんじゃないかって、人生に希望を持てるから。お先が真っ暗でレールを敷かれちゃったら、希望なんて持てない。

羽生　なるほど、そうですね。

養老　もう、この先良いことがあるという確信がない。そんな世界観を子どもたちに与えちゃったら、それはまずいよね。子どもが減るのは当たり前だよ。

人間世界は「局所解」に陥っている

羽生　子どもを巡る状況の危うさについて考えるときに思い当たるのが、近所の公園から遊具が次々に撤去されていること。ブランコや、回転する遊具、登る遊具といったものが、みんななくなってしまった。前は遊具がいっぱいあったんですよ。撤去される理由は、今は事故が起きるとその遊具を設置した責任を問われてしまうからだと。

それで思い出すのが、ＡＩの世界でよく使われる「局所解」という言葉。「部分的には正しいけれど、全体的にはものすごく間違っている」という（笑）。

人間の世界を見渡してみると、今、社会のあらゆるところが局所解に陥っているような感覚があります。

公園の事例も、事故を起こして問題に発展することを防ぐという「局所解」はクリアしているかもしれない。でももう少し引いた目で見ると、子どもが動き回ったり、友だちと触れ合ったりという機会は、どんどん奪われていくわけで……。実はそれは結構大きな損失なんじゃないか？　と思っています。

養老　だから、せっかく野山に出ても、子どもが整備された道の上しか歩かなくなる。

羽生　じゃあ、自然に囲まれた地方に住む子どもの方が豊かな自然と触れ合えているかと言うと、そうでもないらしいんですよ。逆に地方の方が、自由に遊べず、大変みたいですね。

子どもを外で遊ばせたいと言っても、山からクマは下りてくるわ、イノシシは出てくるわ。危なくて外になんか出せない。車での移動が増えて運動不足になっているという話を聞いたことがあります。

養老　まず、人間の頭数が少なくて、仲間がいない。集団で遊ぼうと思っても、エネルギーが要る。その上、クマが下りてきたんじゃあ、ねえ。

羽生　ええ。限界集落なんかですと、数的優位がもう、動物の方が圧倒的に高くて。人間側がマイノリティになってしまっている。

養老　獣だって、本来、人間が五、六人いれば逃げますよね。

羽生　ああ、そうなんですよね。ＡＩとどう混ざるかだけじゃなくて、自然界と人間界のバランスの不安定ささえ感じることが、最近よくあります。

養老　そうですよ。僕自身、最近は外出するたびに野生動物をよく見ますよ。

羽生　そうでしょうね。先生の場合は特に、奥地に虫捕りに行かれますから（笑）。

養老　普通に旅先でも見ますよ。北海道に行って、まずヒグマの子どもに出くわした。車の中からね。ガードレールの向こうに子熊が立っていて、「あの子熊、タクシー待ちだよ」とか言いながら（笑）。

僕が住む鎌倉の自宅も、雑木林があって自然に囲まれた場所なんだけど、昨日女房が帰ってきたとき、「あそこで、タヌキ轢《ひ》きそうになっちゃった」と言っていましたから。今、野生動物が増え過ぎているのは確かだよ。

羽生　里山を管理している人が高齢化していて「自分の代まではなんとか頑張るけど、そこまでで精一杯」という感じみたいですね。

養老　さっき羽生さんが言った「局所解」とは裏返しの事象かもしれないけれど、逆に局所、局所で最適な解を決めていった方が、全体では辻褄《つじつま》が合うということもあるんですよ。例えば、本来は野生だった犬を、「鎖につなげ」と言う。本当は、田舎でも鎖につないでいるのはおかしい。逆に野生動物が増えて人間界にどんどん出てくる原因になってますよ。都会では、犬はつなぐしかない。でも、田舎は放していいことにしないと、自然の摂理から言っておかしい。

ああいうのは、国で一律に決めるルールにしない方がいいですね。ローカルに決めればいい。僕の知り合いが福井にいて、三匹の犬を放し飼いにしてるんだけど、保健所の人が捕まえに来ると村の人が追い返すんだって（笑）。「保健所の奴らが管理するから、シカとかイノシシが過剰に出てくるんだ！」って。

羽生　なるほど、そういうことなんですか。

養老　だって、もともと犬って、野生動物を追っ払うために飼ってたんだから。都会の人は、すっかりそんなこと忘れちゃって、犬といえばペットということになってるから、今や犬さえ犬の役割がなくなっちゃった。ＡＩに仕事を取られた人みたいに不遇だよ（笑）。

ＡＩは言葉をどこまで理解できるか

羽生　ＡＩがどこまで実用化されていくか。その鍵は、言葉をどこまで理解できるようになるか、というところにもあるんじゃないかと僕は思っているんですよ。

　例えば今、レストランの予約をするとか、美容室の予約をするとか、そういうある程度パターン化されたコミュニケーションのところでは、たいがいの人間の注文をコンピュータが音声認識で聞き分けられ、しゃべるだけで手続きまで完了できる。例えば、音声でショッピングをするとか、そこまでのレベルにまで進んではいる。けれど、本質的にＡＩが人間の言葉を理解して、不自由なくしゃべれるようなときは、いつ頃来るんですかね？

養老　結局それは、「意識の起源」に近い話になりますね。意識がどうやったら発生するだろうか、という根源的な問いです。

入出力装置であるコンピュータが、人間の「脳みそ」を代替するようなことができるようになるか？　今は、コンピュータへの入力は、基本的には人間が行なっていますよね？　パターン認識なんかだと、カメラから入力している。自動的にはインプットされないわけだから、人間にたとえたら、まだ「目」だけある段階ですよ。でも、コミュニケーションは目だけじゃダメなんですよね。実は、人間の脳みそでは、本当に複雑な処理をして「言葉」によるコミュニケーションが成り立っている。だって、入力は視覚的に入ってくる文字でも、耳から入ってくる音声でも、どちらでもいいわけですから。それで両方からの信号を受け取って、脳では私たちが普通に使っている一つの言語としての概念で認識される。しかもそれを、同時並行でいっぺんに処理できるんですから。

だから、コンピュータにそういういくつかの入力装置があって、いわゆる「自然言語」として処理ができるように進化してくると、いわゆる汎用のコンピュータができるっていう段階に近いでしょうね。

羽生　なんとなく、言語らしきものの処理をしているように見えるという段階までは現状でもできるとして、本当の意味で、人間的なところでの深い理解や、文脈をつかまえるという言語活動を自然にできるようにするのは、容易じゃないということですね。

養老　それと、今言ったように、異質のセンサーから取ってきた情報を、同じと見なす処理を、コンピュータにどうやって組み込んでいくかですね。実際には電気信号になっちゃうんですから、どっちみち同じなんですけども。

とりあえずセンサーを二つ作ってね。一つの言葉、例えば「耳」を認識させたいとする。そうすると、約束事を作るわけですよね。〝耳〟という字と〝ミミ〟という音は、同じだよって。そういう約束事をいっぱい作らないと、言語にならないですね。途方もないですよ。

羽生　考えてみると、言語は不思議ですよね。同じ言葉でも、その意味が時代とともに少しずつ変わっていくこともある。そんなに多様性があるものなのに、みんなで共通の理解をし合えるというのは、どういうことなんでしょうか？

養老　極端に言えば、「みんなで同じことを理解していると思っている」だけですね。

羽生　言語を理解し合っていると思うことさえも幻想だと。

養老　女房と長年付き合っていれば、わかります（笑）。

羽生　じゃあ、ＡＩと人間の関係と変わらないですね。なんとなくわかり合っているように勘違いしたまま話している、という点では（笑）。

養老　逆に外出先から家内が帰ってきて、「あんた、あそこのあれが壊れてるわよ」って言ったって、その程度の言語でニュアンスが伝わることもありますけどね。まあ、たいがいはわかんないままでも、「あそこのあれって、何だよ」「ああ、あれよ」とか言って、会話としてはなんとか成立している。

ＡＩ化で「人間本来の暮らし」に戻る余白ができる

羽生　私の中に一つ、問いかけみたいなものがあるんです。もし仮に、ＡＩ化が進んで、仕事をＡＩに奪われたとしますよね。そのときに、「それでも人は働くのか？」という。「働かなくても生活できるし、生きていけますよ」と言われたときに、「働きますか？」と問われたら、私が思うに、結構な人が働くんじゃないかなと。

養老　日本人は間違いなく働きます（笑）。

羽生　そうですよね。そのときに、自分が本当にやりたい仕事だけやれるようになったら、それはそれで幸せなんじゃないですか、と。仕事が奪われたとしても、本来、やりたくない仕事だったら、代わりにＡＩにやってもらえばいい。その代わり、やりたい仕事だけやっていていいんだったら、楽しいじゃないですか（笑）。

人間の生き方として、そういうあり方が一番いいのかなと思ったりもします。でも、やっぱり資本主義の世の中なので、ＡＩを開発した会社が富を独占してしまうとか、そういう格差の問題はどうしても現実には残ると思うんですけどね。ＡＩに仕事を奪われたとしても必ずしも全員が不幸にはならない。そんな気がします。

養老　突き詰めれば「人の生き方」次第でしょう。結局、さっき言ったように、ＡＩ化が進むと、人は「人生って何だ？」って考え始めて、哲学のところに戻ってきちゃう。社会の中で「頭」だけは特別視されて、都会は頭のいい人が出世するようになってるわけだから。でも、それはそうじゃないでしょっていうことが、いよいよ証明されてきた。「頭」だけで特別視されていたような人たちこそ、ＡＩに負けちゃうよって世の中になってきたんだから。

ホワイトカラー的な仕事が、ＡＩに置き換えられつつあるのは、もともと「頭」の側に強いバイアスがかかり過ぎていたからですよ。だって、江戸時代に「生き馬の目を抜く」って言ったでしょ？　あれ、「江戸」、つまり東京の人の形容ですよ。田舎の人から見ると、都会の人は頭がよく見えるんでしょ。頭がいいっていうことは、要するに、人をだますっていうことだよ（笑）。

これからは、頭偏重じゃなくて、当たり前のところに人間の価値観が戻ってくると僕は思っている。だからこそ、子どものときからの育ちが大事でね。子どもの時分に、生き物として経験しておくべきこと、身体を使う、五感を使うということを、一通りしておくことが大事なんだよ。

人が都市を作ったのは、ここ一万年。農業が始まってからですからね。都市化すればどうしても理性中心の世界になっちゃう。むしろＡＩが、理性中心社会からの脱却のために、いいターニングポイントを作ってくれればいいんですね。例えば、人間が肉体労働をして田舎で一年の半分を暮らしていても、ＡＩがちゃんと、知的な活動のかなりの部分を代わってやってくれるという。そうすると、非常にバランスのいい社会ができる可能性もありますよね。

ＡＩ化で、野に遊び、田畑を耕しという、人間本来の暮らしに戻れる余白ができる。本来は、それって楽しいことだから。一〇〇年か二〇〇年遡ったら、九割ぐらいの人が農家やってるでしょ。しかも、今だったら、ひどい労働じゃないですよ。現在の農家は、九割が兼業農家ですもんね。兼業でいいんですよ。自分の食うものだけをささやかに作るの。

羽生　ＡＩで新しい「百姓化」の社会を実現できる、と。

養老　百姓化するだけじゃなくてね。今、「徴農制」とか言ってる人がいる。要は、バランスの問題です。農業が好きな人は、ちょっとの土地で、ちょっと育てりゃいい。僕の知り合いも、農家やってますよ。若い人で農業に携わる人が唯一言ってる文句は、「農業じゃ食えねえ」って、そこだけ。だから、別の仕事探してきて、それで傍《かたわ》らで農業やればいいんだって。農業で食おうと思うと経済活動になってしまって、そうすると辛い農業になっちゃうこともある。僕だって、虫が好きだけど、虫を商売にしちゃうと、結構辛いところがあるんですね。

羽生　なるほど。

養老　将棋はどうですかね。プロだから（笑）。

羽生　そうですね。本来は好きなこと。でも確かに、何か、純粋に楽しんでやるっていう感じはないかもしれないですね。

養老　子どもの内は、純粋に楽しめるわけでしょ。経済活動に組み込まれてないから。ひたすら将棋に没頭することで、学ぶこともあるしね。それも社会経験です。純粋に将棋自体が強くなる以外に、そっち側の価値もありますよね。対戦する人が毎回違うわけだから、様々な人と触れ合う。その過程で自分が育っていくというのも大事な価値の一つでしょ。だから、さっきも言われたように、コンピュータを相手にして将棋が強くなるというのは、実は一番健康なＡＩの利用の仕方ですよ。

ＡＩは江戸時代の古い手も指す

羽生　ただ、ＡＩって、飛び道具的でもあるんですよ。さっきお話しした「アルファゼロ」というソフトの最新版は、たった二時間の機械学習で、世にある一番強いソフトを追い越した。そうすると、人間がやってきたこの何十年かの努力は一体何だったんだ、と（笑）。ＡＩは、時にそういう凄まじさを突き付ける。

一瞬でそういうことが起こってしまうので、人間は何のために将棋をやってるのかという無力感に陥るというか、しばし考え込んでしまうような状況が現れているのは確かです。

さらに、ＡＩの登場で将棋の世界が目まぐるしく変化している。雁木《がんぎ》戦法などは、その典型例ですよね。江戸時代から存在していた戦法で、ＡＩが再評価して流行り出したんですから。自分にとっても、ちょっと大きな発見だったんです。というのは、ソフトにとっては、古いも新しいもなくて、「評価値」が高いから指すだけ。だから、古い手でも「古臭い」なんて思わずに指すんです。人間みたいに「終わった戦法だな」とか思わないから。一方で、人間の棋士は、古い戦法は指さない。それは歴史を経て、ダメだというラベルがついたものであって、過去のものは忘れ去るものというのが常。でも、ＡＩにはそういうバイアスが一切ない。それはかえって新鮮な感じはします。そういう先入観がまったくないところでひたすら「評価」をしていく。

養老　ＡＩは、いわば優秀な新入社員だから。

羽生　そうですね。健全な形でＡＩを仲間に入れていく。本来やりたかった自分の仕事は、目一杯楽しんでいく。ただ、それを将棋ではなく、リアルの世界の、リアルな話でやろうとすると、すごい衝突が起こるという（笑）。だから、ちっちゃい世界の、ちっちゃい分野だったら受け入れられるかな、という話で。仮に大きなところの大きな話でいきなりＡＩを入れてしまうと、人々にすごいアレルギーが出るという一面はあるのかもしれません。だからＡＩを仲間入りさせるのに、将棋の世界はある意味向いていたんでしょう。

未来の創造性はどう変化するか？

羽生　将棋の世界で言うと、もちろんＡＩが創造した〝新手〟が大量に出回るようになっても、オリジナリティを持って人間自身の独力で創造していこうという人は、これからも出てくると思うんです。けれど、今後の主流はＡＩをうまく使いこなして創造力を発揮するような人たちになるのではないでしょうか。むしろ、その可能性の方が高いんじゃないかと僕は予想しています。自分のアイデアを出した上で、さらにＡＩで検証を重ね、それを実証していく。そうした、うまくツールを使えるという能力が、人の創造力の発揮の仕方として評価される時代になるでしょう。

　ただ、ネガティブな側面もあります。チェスの世界で実際に起こっていることなんですが、続々と人間オリジナルによる新手が出るんですよ。チェス界はＡＩ化の波を受けて久しいですけれど、今でも人による新手が出てくる。それなのに、周りの評価は、「でも、その新手はどうせソフトを使って見つけたんでしょ」となってしまう。昔だったら、自分が何十年もかけて、０から１に持っていくところから見つけ出して、「素晴らしいですね」と拍手される世界があった。それが今は、血の滲《にじ》むような努力で新手を見つけて、それがオリジナルのアイデアであったとしても「ＡＩで調べたんだろうね」という評価になりがちです。

養老　ただ、そもそも何をもって創造性というか。そこですよ。僕からすれば、新しい発見とは、多分「自分に関する発見」なんですよ。世間の評価なんてどうでもいい。自分が今まで知らなかったことがある。そして、自分の中でそれがわかった、その瞬間にとんでもなく「あっ!」と思うわけです。アルキメデスが風呂の中で考えて、「浮力」についてひらめいた瞬間に裸でシラクサの町を走ったという話がありますね。それはもう、大発見だったわけです。それでノーベル賞をもらえるとか、そういう話じゃない。自分が今まで風呂に入ったときに、身体が軽くなるのはわかっていたんだけど、どこまでどういうふうに軽くなるのかさっぱりわかってなかったのが、あ、これは「浮力」なんだとわかった瞬間に、もう、きちんと、定量的にわかるわけでしょ。そうすると、ちょうど、ひどい近眼の人がいい眼鏡をかけたような感じで、スキッと世界が見えた。そしたら、ものすごくうれしくて、飛び上がる。それが発見ですよね。発見にはそういう喜びがあって、それが本来の創造でしょ? 発見と同時に、自分が変わっていく喜びがあるのが人間なんです。

だから、別にアルキメデスの時代じゃなくても、伝記に残るような偉人じゃなくても、ごく普通の人がそういう発見をできるはずなんです。「知らない」から「知る」へのジャンプ。

今の教育の悪いところは、その発見になるようなことを、あらかじめ与えちゃう。だから、勉強するほど創造性が落ちちゃう。コンピュータから教わる子どもも同じだね。問いと答えをあらかじめ提示されちゃえば、発見の喜びは削がれますから。だから子どもに何をどうやって教えるかって、大事なことだと思うんです。喜びを奪っちゃいけない。

発見と脳の不思議な関係――ひらめいた瞬間に自分が変わる

羽生　なるほど。ところで、そうした発見を伴う「創造」は、どういう仕組みで生まれてくるものなんでしょうね？　何にもないところからポンッと新しい何かを生み出すという。やはり何か、今まで生きてきた積み上げの中から出ているわけですよね。

養老　頭の中で何か回路が抜けるんですよ。ポーンと。だから、その前の自分とその後の自分がまったく違っちゃってる。脳の中で、実際にシナプスのつながりが変化しているんじゃないですか。

羽生　ああ、そうなんですか。

養老　ドカーンとひらめいた瞬間に、自分が変わってしまう。システムって、よくそういうことを起こすでしょ。だから、統合失調症の専門家曰《いわ》く、統合失調症の人が「トイレに入って出てきたら、世界が変わっていた」と言うことがある。通常はあまりそういう体験をしないけれど、病気の場合にはそうした現象がよくある。アルキメデスの場合も多分、お風呂に入っていて、急に世界が変わったんでしょう。

アルキメデスは極端な場合だったかもしれないけれど、僕らは小さい発見をしょっちゅう繰り返しているじゃないですか。「目からうろこ」というあの感覚が、まさに発見の一つだし、あれこそが創造性だと思う。なのに、今は発見を本人の「能力」とかに被《かぶ》せがち。だから、創造性があるとかないとか言うんです。僕は発見は能力じゃなく、「状況」だと思うんですね。その人と、その状況とがセットになって、「あっ！」に結びつく。もちろん、今までのその人なりの経験や考えがベースになっているのは確かですよ。だから、有名な話として、ポアンカレ（フランスの数学者）が、馬車に乗ろうとして、踏み段に足をかけた瞬間に天啓がやってきたという。フックス型微分方程式のすごいアイデアをひらめいちゃった。それまでさんざん考えてきたものが、その瞬間に脳の中で抜けるんですよね。僕だって、それを楽しみに虫の分類をやってるもん。いつもどっかで「ああ、抜けないかな」って。

羽生　馬の上やトイレの中なんていう話もありますけれど、要するに、何にもしていないときや、ぼんやりしているときに、そういうものが生まれることが多い。ぼんやりしているときに、脳の中では何が起こっているんでしょうね。

養老　本人はぼんやりしていると言うんだけども、そのことについて論理的に、段階を追って考えるようなことはしてない。だから、何て言うんだろうな。宙ぶらりんの状態に置いているというか。そうすると、脳みその方が勝手に動くんですよ。脳みそって普段、勝手に動いてるんで。

僕ね、しみじみ感じるのは、運動選手なんかまさにそうだと思うんです。トレーニングでさんざん身体を動かすでしょ？　しかも、バットを振るなり、球を投げるなり一定の型をずっと続けている。演奏家が弓を弾くなんていうのも同じですね。それで夜寝ながら、無意識に同じことをやっているわけ。

羽生　ああ、そうなんですか。

養老　寝ている間に身体が勝手に動いてますよ。要するに、脳がシミュレーションを繰り返してるの。だから、本人は休んでるつもりだけれど、実は休んでいなくて脳はずっと動いている。だからあんまり練習し過ぎると、脳が疲れちゃってスランプになるんです。

羽生さんがいい手をひらめく瞬間はどうですか？　対局中にぼんやりしてる？（笑）

羽生　ぼんやりしているときもありますが、こうだったと分析するのは、すべて後付けになっちゃう。その瞬間は、自分でも、「今、ちゃんと考えているのか、ぼんやりしているのか」

という意識がないんですね。だから本当のところはよくわからないというのが、正確な答えなんでしょうね。

あと、本当に集中しているときは、時間の観念がなくなるんです。だから、記憶が鮮明なときは、まだあまりちゃんと集中していないという（笑）。時間の観念もないし記憶もない。それが、いい集中をしているときであり、アイデアもひらめくときなんですよね。

ただ、四六時中そんな状態ではいられないですよ。人間って、四六時中発見をするようにはデザインされていないでしょうし（笑）。

AIが映し出す未来像

羽生　日本は、「ガラケー」のようにガラパゴス的にやっていくのがいい、という話がありますよね。最近、AIもそれでいいのかなと思うようになりました。あんまり画一的なところで勝負しても、独創性は生まれませんから。

養老　それも、物差しの問題でしょ？　メディアでよく「国際化」という言葉を聞くんだけど、全部を日本語で書いて、出版物として日本人のお客さんに売って、何が国際化だよって

（笑）。本来なら、不言実行でなくちゃ、説得力がないじゃないですか。そもそも、日本語を使っている時点でガラパゴス化してるんですよ。だから、それでいいんじゃないですかね。僕、最近知って驚いたのは、日本のＧＤＰは、輸出依存度が一六％程度だと。

羽生　あ、一六％なんですか？

養老　ほとんどの人がもっと高いと思ってるの。

羽生　そうですね。

養老　それは、歴代の政府が国民をだましてきてるんですよね。日本は極端に言うと、鎖国しても平気な国なんですよ。石油だけなんですよ。依存せざるをえないのは。

羽生　でも、食料なんかは、依存率がもっと高くないですか？

養老　食料は自給しようと思えばできます。だって、耕作放棄地がいっぱいできてるじゃないですか（笑）。

羽生　なるほど。

養老　ただ、もしシャットアウトしたら、食の種類は貧しくなりますよね。だけど、私は大丈夫だと思うんですよ。日本は鎖国しても。

羽生　今でも鎖国って、すごいですね（笑）。

養老　鎖国状態でしょ。ガラパゴスってつまり、鎖国の言い換えですよ。

羽生　言われてみればそうですね。

養老　前からやってるやり方だよ。それでいいんじゃないですかね。中国の勢いが良くなったときは、日本は鎖国です。そうしないと、あの国に飲み込まれちゃうから。

羽生　結論は鎖国ですか？　自分でガラケーとかガラパゴスとか言っておいて何ですが、意外な着地点だという気もします（笑）。

養老　何も、不便なものを辛抱する必要はないんだけど、そうかといって、日本のほとんどは年寄りですからね。次々と刷新されたら不便になる人、たくさんいるんだよ。

羽生　それはそうですね。

養老　年寄りには、ガラケーどころか、何も使えない人がいるわけですから。だから、どこに目線を合わせるかでね。若くて元気な人なら、次々にあんな機能が欲しいと言うでしょうけれど、国民の大部分はそうじゃないですから（笑）。

僕は、道具は「自分にとっての文脈で」便利なものを選んで使う、それでいいと思うんですよね。そこにＡＩが載っていようが、同じです。その代わり、自分の人生はちゃんと考える。大事なのは、生きるとはどういうことか、ということも考えることです。

羽生　そうですね。以前ＮＨＫのＡＩの番組に出演して印象的だったのが、シンガポールの事例。シンガポールは、例えば、お年寄りがいる家には自宅にカメラを付けて、コンピュータが異常を感知したら、専門機関の人に知らせる。そこの職員は、その異常なサインをキャッチして助けに来てくれる。ただ、これはプライバシー保護の観点からは問題ですよね。だから、プライバシーを取るのか、そういう安全を取るのかというのは、その国の文化的なものと重なるのかなと。技術的にはできる、ということと、その技術を「選択」して使っていくということは、必ずしも一致しないんだと思うんです。

養老　特に生老病死に関わるところはそうだね。そもそも誰かと大勢で住んでいれば、「選択」で悩むなんてことはないわけです。今、老人はみんな一人で生きてるからね。孤独死とか言われているし。

羽生　例えば、お年寄りの人口がすごく増えたときに、「みなさん、ここに良い土地がありますから、みなさんで集住してください。同じような地域に住んでくれたら良いサービスができるから」となる可能性もありますよね。みんなが個別に住んでいるから、フォローしきれないという側面も、やはりある。

養老　そうですよ。自治体側から言うと、特に全員に配らなきゃいけない水道や電気に関しては、集住した方が絶対に安くつく。だから、頑張って先祖代々の土地を守っているようなところは大変だよね。

羽生　電力などのインフラで言うと、囲碁のトップ棋士を破ったディープマインド社が、自社開発したアルゴリズムを使って、自社のデータセンターの電力消費を三〜四割カットすることに成功したという例もあるんです。そういう公共的な環境インフラのところで、ＡＩが便利なものになる可能性はあるのではないかと思います。今後ＡＩが、人間がやっていることの無駄な部分をかなり端折《はしょ》ってくれるということは、結構あるんじゃないかと期待しています。

第2章　経済はAI化でどう変わるか

井上智洋×養老孟司

井上智洋《いのうえともひろ》

駒澤大学経済学部准教授、早稲田大学非常勤講師、慶應義塾大学SFC研究所上席研究員。博士（経済学）。慶應義塾大学環境情報学部卒業。2011年に早稲田大学大学院経済学研究科で博士号を取得。早稲田大学政治経済学部助教、駒澤大学経済学部講師を経て、2017年より同大学准教授。専門はマクロ経済学。AI社会論研究会共同発起人。

ＡＩは格差社会を拡大させる

養老　井上さんのご専門は、「マクロ経済学」ということだけど、実は僕の義理の兄貴が経済学者で、専門がマルクス経済学の原論だったんですよ。聖書の解釈学みたいなもんでね。経済学って、抽象の世界だと思い込んできた。抽象の世界に身を置く井上さんが、ＡＩに興味を持たれたのはなぜですか？

井上　私たちは、身の回りのいろいろな変化に気持ちが囚われがちですが、そんな変化が些末《さまつ》な出来事としか思えないぐらいに、社会のあり方を大きく変えるもの。それが「汎用人工知能」じゃないかと捉えているからです。二〇三〇年頃に「汎用人工知能」（汎用ＡＩ）の開発の目処《めど》が立つと言われていますよね。未来のことなのでどうなるかわかりませんが。

養老　それで、「ＡＩが人間の仕事を奪う」といった言説が流布している。

井上　僕も、やっぱりこのまま放っておいたら、ＡＩは結構脅威になると思っているんです。高度な自律性を持つＡＩだったり、ロボットだったりが出現したら、意識とは何か？　創造とは何か？　といった根源的な問いを私たちは突きつけられもするでしょう。

問題なのは、ＡＩが仕事を奪うという側面だけじゃないんです。どちらかというと、ＡＩを使う側と使われる側の格差という人間同士の問題ですね。じゃあ、ＡＩが本当に脅威になるのかどうか。未来のことなので確定的なことはわからないものの、マクロ経済学に携わる僕としては、ＡＩが経済システムの構造にどんな影響をもたらすのか、それによって経済成長や雇用がどんな影響をこうむるのかという側面は気になる。議論を集約していくと、ＡＩはやっぱり格差社会の引き金になるんじゃないかと僕は考えているんです。

養老　アメリカなんて、完全な格差社会でしょ？

井上　なんといっても、「ＧＡＦＡ」（Google, Amazon, Facebook, AppleのＩＴ大手四企業を指す言葉）の本拠地ですから。少し前にニュースになったのは、世界のトップ二六人の資産家の総資産額が、世界人口の半分に相当する貧しい人々、約三八億人の資産を足したのと同じくらいなんだと。その筆頭に君臨するのが、アマゾンのＣＥＯのジェフ・ベゾス。お金持ちの人が、よりお金持ちになるだけだったらいいんですけれど、ＩＴによって仕事を奪われている人というのは、現時点でもうすでにアメリカでは顕著に出てきているわけです。その人たちが新しい仕事に就いて、より豊かになればいいんですが、みなさん、結構な割合で古い産業というのか、情報化とは真逆の職業に移っていくんです。清掃員であったり、介護スタッフであったり。特に新しい技術とは関係ない仕事に就く人が多いというのが、今までの工業化の時代とちょっと違うところかなと思っていまして。ＩＴ産業自体が、そんなには雇用を作っていないということが原因の一つです。アメリカでは一般的な労働者がＩＴによってあまり豊かになれなくて、むしろ貧しくなっているということが実際に起きてしまっている。そのＩＴの中でも、比較的賢いものがＡＩだ、くらいに私はかなり大雑把《おおざっぱ》に捉えています。そうすると、ますますこのＡＩを使ってすごくお金儲けをできる人と、そうでない人との差ができてしまうんだろうなと思っているんです。

車社会とＡＩ化はつながっている

養老　私は、ＡＩを特別に取り上げるつもりはないんです。昔から言ってきましたから。「意識中心の社会」に移ってきていると。

今、世界の人口の八割は都会に住んでいる。それで一番目立つのは、一次産業の急速な衰退です。一次産業は、直接ものと対面している仕事ですよね。それを技術が補助することによって、日本だと、例えば一〇家族でやる仕事を一家族で担えるようになった。そうすると、残りの九家族は何をしたらいいか？　という話になる。これはある意味、当然の変化であって、僕が生きている間にそうした変化がずっと切れ目なく起きてきたわけです。

実は一九四〇年頃まで、わが国の一次産業従事者の割合は労働人口の四割以上でした。今は、労働人口の四％程度でしょ？　一〇分の一以下なんですよ。

井上　ドラスティックな変化ですよね。

養老　これは、産業構造の変化に限らないんですよ。例えば、私が専門としてきた解剖学というのは、「一人一人」を、言ってみればバラしていく学問。「一人一人」から得られた情報を論文にする、つまり「情報化」するわけです。その作業というのが、科学の世界でいうところの「一次産業」なんですよ。現物を見て、そこから起こしていく。実験室で行なう実験ならば、その中で一定の論理的な手続きでものを進めることができるんですが、現物が相手だと、均一化・効率化ができないんです。

「虫屋」としての僕の仕事もそうですよ。分類学そのものですから。いろんな種類の虫を手と足を使って集めてきて、それでもって手と目を使って整理するしかない。そこの第一段階のところが、ほとんど経済活動としては認められなくなってるんですね。

一次産業の衰退と同じように、学問の世界にも衰退はある。早い段階からそうだった。僕が若い頃には、すでに「一次産業的な」仕事は時代遅れだよと、生物学の実験室の中にこもるようになっちゃって。だから早いうちから、生物学者は具体的な生き物は見なくなって、細胞を取り出して、モデル化されたシステムを調べていくようになった。

井上　社会構造の変化と同じですね。

養老　一方で、社会は「社会システム」の構築の方に中心が移っていった。システムというのは猛烈な初期投資が必要であって、それを先にやってしまった方が勝ちなんですね。今は、ＧＡＦＡがみんなそうですけれど、いったんシステム化してしまうと、非常に強いんです。

井上　おっしゃるシステムというのは、「プラットフォーム」と言っても良さそうですね。

養老　車社会だって、単体の車造りに忙しいように見えるけれど、実は「システム化」の一環だったんですよ。高速道路の建設にあれだけお金をかけて、道路を全部舗装して、徹底的にやったから。たかだか人一人を運ぶのに、トン単位の重さのものを動かして移動するなんて、地域の枠内の移動に限ってみれば、こんな不合理な話はないでしょう？　エネルギー効率的に言えば（笑）。

井上　歩けばいいですよね。エネルギーがかからないし。

養老　人がわざわざ「輸送」されるようになったわけです。その「輸送」のシステム化は、止められなかったわけでしょ？　今さら莫大な予算をかけて、でき上がっちゃった輸送網を解体して仕組みを変えようと言ったって、物理でいう慣性能率がものすごく大きくなっちゃって、社会全体をいじくれなくなっちゃった。そういう流れで、「結果的にでき上がっちゃった社会」が勝手にシステムを構築していってしまう傾向って、方向性を変えるとすれば、個人の反抗しかないんです。

井上　アマゾンの不買運動なんかも出てきましたよね。

「大衆化社会」という視点からAI化の本質を読み解く

養老　その意味で、国レベルでの「反抗」をやっているのがフランスだと思いますよ。いわゆる「大衆化社会」に対して、国ぐるみで抗《あらが》っている。フランスって、基本的に農業国ですから、国民の考え方が保守的というか、システム化にはあまり向いていかないところがある。

井上　その意味では、イタリアも独自性のある動きをしますよね？

養老　イタリアなんかは、もっとずいぶん前からふてくされちゃっていますからね。イタリアは、いつも経済危機って言われているんですが、あれは嘘ですよ。あれは経済危機じゃなくて、統計の取り方を変えているだけだと思うんです。

井上　目の前で叫ばれる「危機」に囚われるんじゃなくて、大衆化社会というようなキーワードで流れを追っていくことで、本質が見えてくると。

養老　今、大衆化を一番バカ正直にやっちゃっているのがアメリカという国ですよ。つまり、僕の言葉で言えば、国民がこぞって物事すべてを「意識化」してしまう。これは考えると、無理もないなとも最近思えてきた。なぜかというと、「異文化の人をあれだけひと所に集めたら、議論って通用するの？」って。違いを乗り越えるには、普遍的な理性しかないんですよ。例えば日本だったら、家に仏壇か神棚が必ずあるでしょう？　それぞれの家には仏壇か神棚を置きましょうという暗黙のルールがある。ところが、もしそれをアメリカの連邦議会で提案したって、「それはローカルなルールだから、×ですよ」って弾かれちゃう（笑）。そうすると、理性的にきちんとみんなを説得できるものを持ってこないといけない。それがアメリカという国の本質ですよね。アメリカの社会システムそのものです。そうすると、当然のことながら、個別性から普遍性へ、そして最後は「永遠なるもの」を求めるようになっていくんです。まがいもなく神ですよね。あれ、理性を突き詰めた究極のものですよ。

井上　そうですね。

養老　だから逆に言うと、今持ってくるシステムと言えば、ＡＩしかないんですよ。

井上　神への崇拝に近い。

養老　ところが人間そのものを見ていくと、個々に感情があったり、それぞれに「0のものを1にしたい」とか「2のものを3にしたい」といった意向があったりする。だから当然摩擦が生まれて、人間関係がぐじゃぐじゃする。そういうものはコンピュータにはありませんからね。だからこそ、コンピュータを駆使して、公平・客観・中立な社会を徹底的に作ってきた。でも皮肉なことに、その結果はなんと、猛烈な格差社会ができ上がっていたという。

井上　摩擦を避けようと思ったら、強烈な摩擦を生む結果になったわけですね。

養老　皮肉だよね。だから僕は、理性のみで強くグイグイ押していく社会には、特有の欠点があるんだとずっと言ってきたんです。その欠点が、今や目に見えてきちゃった。つまり、システムをせこせこ作ってきた結果、人間が置いてきぼりを食っちゃったわけなんです。

身体性が置いてきぼりにされている

井上　人間が置いてきぼりを食ったというのは、すごくピンとくる表現ですね。

養老　なんでそうなったかと言うと、シンプルに言えば、「身体性」が置いてきぼりを食った、ってことなんです。脳だけはイケイケで、成熟する社会の先の方に突っ走っていっちゃっている。極端に言えば、偉い人が頭で考えたことで世の中が成り立っていくでしょう？　彼らは効率的な方向へと社会をデザインしていくんだけど、「てめえ＝身体《からだ》」のことは忘れ去られてしまう。

今、自宅に『サピエンス異変』（ヴァイバー・クリガン＝リード著・飛鳥新社）という、イギリス人が書いた本があるのだけれど、要するに、人間は自分が作った社会に身体が適応していないという話なんですよ。だから、世界中の人が腰痛だと（笑）。人間は本来、歩いていなければいけないのに、椅子に座る生活って変だよと言っている。そうすると、うんと根本のところで考えてみれば、ＡＩ導入で社会がどう変わるかを議論する前に、人そのものをどう見るかが大事なんだよね。

結論から先に言っちゃいますけど、僕が一番危惧してるのは、「それなら人間を変えればいいでしょ」という意見も必ず出てくるんじゃないかっていうこと。アメリカでは、現実にそういう動きが出てきていますね。

井上　「人間を変える」と言っても、どう変えるんでしょう?

養老　AIであろうがなかろうが、新しい社会システムに合う人間を作ればいいんだという考え方ですよ。シリコンバレーなんかでよく、「ヒューマン・エンハンスメント」という言葉が使われていますよね。エンハンスメントは「改良」です。マイルドに言えば、人間の人工的な進化っていうことなんだけど、もっと刺激的に言えば、「人間を改良すること」。それを、ヨーロッパでは非常に早くから法律で禁止しています。人の遺伝子をいじることも含まれますから。

中国は、この手の研究に関して、一切禁止していない。日本はアメリカに準じていて、委員会制度があって、委員会がうんと言えばいいという形です。ヨーロッパは法律的に人の遺伝子をいじること自体を禁止している。だから、世界の国々でも、人の改造をどう捉えるかについては、温度差がある。

そもそもAIは人が使っているものですから、問いの立て方は二つあるんです。一つは、

ＡＩ自体がどういう変化を遂げていくか。もう一つは、それを使っている人間の方をどう考えていけばいいのか。

こういう扱いの難しい問題にどう対処していくかは、一筋縄ではいかなくなってきた。国際的にも格差が大きくなってきちゃったからややこしいんですよね。

僕ね、あるテレビ番組を観ていて、世界の南北の格差って、ここまで開いているんだと感じたことがあったんですよ。その番組では、一方でベネズエラの人たちが給料をいくらもらっているかが取り上げられていた。せいぜい月給一〇〇ユーロとか二〇〇ユーロとか、そんなものです。その一方で、スウェーデンの食事情も取り上げていて。スウェーデンでは和牛が流行っているらしいんだけど、和牛ステーキのレストランの価格が、日本円で一食五万六〇〇〇円と言ってましたよ。

井上　うわっ、高い！

養老　一回の外食でその値段を払うことができるんですから、ベネズエラの給料水準を考えたら、ものすごい格差でしょ？　南北の格差は、昔から無視できない問題ですけど、ここにきて顕著になってきた気がしますね。中国が台頭してきたから、欧米とそれ以外の国々との違いが目立たなくなっているようにも見えるけれど、ＩＴで力をつけてきたインドなんかだって、未だに深刻な貧困を抱えていますよね。

井上　格差を拡げる要因はいろいろあるんでしょうけれど、養老さんの言葉をお借りすると、「脳化社会」の極みみたいなところにＡＩがあって、結局のところ、「脳化社会」を進めるほど、格差は深刻さを増していくと。そういう捉え方でいいんでしょうか？

養老　そうですね。ある意味、世界は多様になった。とすると、ＡＩに関して各国がどう取り組んでいくかに温度差が出てくるのは、必然なんでしょうね。一方の端がＡＩ側の苛烈な開発に行き、もう一方の端が人間の改造に行く、みたいな形で。

井上　ＡＩのみにフォーカスするのではなく、一歩引いたところから「脳化社会」がもたらしたある種の「多様さ」に目を向けると、格差問題が加速する社会の構図が、よりクリアに見えてきますね。

人間は常に神を作ることを考えてきた

養老　人間って面白い癖があってね。「こんなものがあったらいいな」と考えたことは、やっちゃうんです。例えば、カメラって、まだそれが世に存在しない頃に、いつ頃から考えられたんだろうって、昔調べたことがあって。小説に書かれているのを引くと、もう二〇〇年前には考案されているんですね。それが後の世に「カメラ」という形で実現するんです。

井上　確かに、ＡＩ側の開発の歴史を初期のところから辿ると、もう一九五六年から開発されてきたんですよね。究極的には、人間のようにあらゆる知的作業をこなせる「汎用ＡＩ」を作るんだという発想は、ずいぶん前からありました。

養老　一方で、人間の改造側の歴史を辿ると、怪談に行き着く。フランケンシュタインですよ。人間をいじくる方の問題って、ずいぶん昔から提起されてきたんです。人間の知恵で、この問題についてどう歯止めをきかせられるか。この問いって、私はずっと前に答えを出しているんですよ。今の人を全部包み込んだ形の「新しい人類」を作ればいいと。つまり、みなさんが考える程度のことは全部考える。感じる程度のことも全部感じる。その「新しい人類」におしなべてプラスアルファがついていればいいわけです。

井上　「人類」として全体の能力や感性を更新していく方向性は、ありだと。でも裏返せば、特定の能力とか感性だけを伸ばすような拡張はまずいということですよね。

養老　それはダメ。人としてのバランスが崩れて、完全に変になりますから。

井上　数学力だけエンハンスするとかは、危険なんですね。

養老　そうそう、ヒューマン・エンハンスメントというのは、基本的にそれでしょ？　みんな狙っているのは。だからよくないんです。

僕がさっき言った、「新しい人類」って、禅問答みたいなものでね。みなさんが感じること、考えることくらいは全部感じて考えられる人っていったら、とどのつまり、普通の人ってことです。でも人類全体に、プラスアルファの能力をつけてやる。それはどういうことかというと、これが脳みそだとすると、例えばサイズを大きくする。あるいは、全体の演算能力を上げる。そうすると、人が思いつく「これができたら」という能力くらいは、全部入ってきますよ。「じゃあ、そういう人類を作ったらどうなりますか？」と聞く人がいるんだけど、おわかりでしょう？　それは、神なんですね。

井上　もうそれは、「人類」を超えている。

養老　だから結局、人がずっと考えてきたのは神を作ろうという話なので。最終的に人をいじるとすれば、それを作るという話でしょ。

井上　養老さんのおっしゃる「神になる」みたいな話が、今真面目に語られる時代になっていまして。ユヴァル・ノア・ハラリの著書『ホモ・デウス』（河出書房新社）などは、まさにそういう話ですよね（注：「ホモ・デウス」とは「神なる人間」の意）。人工知能研究者で未来学者のレイモンド・カーツワイルが言う「ポストヒューマン」とホモ・デウスって、僕はだいたい似たようなイメージで使われている用語だと思っているんです。カーツワイルが言っていることは、まさしく神を作る行為だなと。脳にチップを埋め込んじゃったりして、人間の能力をどこまでも拡張して、終《しま》いには人間が自分の意識をコンピュータの中にアップロードしたり、コンピュータから取り込んだりするようになる、ということを言っているんですから。

「不老階級」と「役立たず階級」に分断される社会

井上　カーツワイルは、人間の全能性の開発に関して、わりとポジティブ。ＡＩ導入による不老不死社会の到来を信じていて、自分自身が永遠に生きる気まんまんだし、一日に一〇〇錠、二〇〇錠のサプリメントを飲んで健康を維持して、ゆくゆくはコンピュータに自分の意識をアップロードしようとしている。それと比べると、ハラリの方が批判的に見ていますよね。要するに、金持ちしか自分の身体を拡張できないと言っている。

養老　現場の技術開発で引っかかっているのはコストの問題なんだけど、いくらでも金をかけていいよというなら、寿命を延ばしてやるよという話ですね。でも、それだけのお金をかける価値があるのかというと、リソースの問題があって。

井上　僕はＡＩ自体を否定する気はないんですが、カーツワイルよりはＡＩを懐疑的に見ている。どちらかというと、ハラリの考えに近いかもしれないですね。カーツワイルは、かなり楽観主義者で、あまりＡＩの負の側面というのは見えていないのかなと思っています。何事も光と影があると思うんですが、私は両方見ようとしているんです。

とはいえ、ハラリは、ちょっと描いていることがディストピア過ぎるという気もするんです。『ホモ・デウス』を読むともう、本当に未来は絶望的な社会ですよ。金持ち階級は、不老不死に近くなる。完全にはならないんですけど、それを「不老階級」というんですよね。それに対して、仕事を奪われて全然就職できない人が出てくると、説いている。そして、その人たちを「Useless class」と言っているんですよね。日本語だと、「不要階級」「役立たず階級」「無用者階級」などと訳されています。なかなか刺激的な言葉ですよね。

この本でのハラリのおおまかな主張は、未来は結局のところ、不老階級と不要階級に分かれるという結論に集約されます。これは、あまりにも表現がどぎつ過ぎて、なかなか公に議論されないことだと思うんです。ハラリが世界的なベストセラーになった『サピエンス全史』（河出書房新社）を出したときには、わりとＡＩ研究者の人も興味津々という感じで読んでいたんですが、続編の『ホモ・デウス』については、一般の人には多く読まれて話題になったのに対して、ＡＩ研究者はちょっと引き気味な印象でしたね。ＡＩ研究者にとって不利な話がいっぱい出てくるからかと思います。前に、ハラリのインタビューを読んでいたら、「自分はわざと、どぎつい言葉を使っている」と語っていました。警告というか、「ちょっとみなさん、楽観的に構え過ぎて、問題点が見えていないですよ」というメッセージなのでしょう。

僕なんかは、社会制度をうまく設計し直して、補正できないかなと思っているので、ハラリほど悲観的な未来像は描いていません。所得の再分配を行なうなど工夫をしていけば、もっと楽に生きられる社会になるかな？　なんて考えているところです。

養老　先ほど井上さんがおっしゃった、何百粒ものサプリメントを飲んでいるとかいうカーツワイルは、ある意味で滑稽《こっけい》だけれども、その「不老不死」を希求するところが人間の本性でもありますからね。

別に人間改造という文脈じゃなくても、ＡＩあるいはコンピュータが珍重される理由だと思いますよ。つまり、コンピュータの中に入れたものというのは「不死」ですから。コンピュータさえ残っていれば、その中に入っているものは、永久に乾かないから。生き物というのはご存じのように、諸行無常。昨日の私と今日の私はズレると。

井上　コンピュータの方は、バックアップをとったりできますからね。よく、ネット上に書き散らしたものや仕事の痕跡が残せれば、それは不死と同じだと言う人がいる。バーチャルな居場所での私こそが私と言う人もいる。あまりにもバーチャルな社会の中に浸《つ》かり過ぎていると、リアル社会をあまり見なくなってしまう。そういう落とし穴はどうしてもありますよね。

養老　僕は逆にね、バーチャルな世界ばっかりで物事を考える人たちの私生活ってどうなっているんだろうって、ときどき考えるんです。バーチャルじゃなくても、言ってみれば「意識」すなわち「アタマ」だけで生きているような人たちです。例えば哲学者とか。僕は前に『遺言。』（新潮新書）という本にも書きましたけど、「感覚」という五感で感じるもの、すなわち個人個人の「カラダ」による入力って、人間において意外と制限されているんですね。だから僕はあえて、「自然に触れろ」という話をする。カラダによる入力の場合、その瞬間は自分が何に触れたのかはわからないんです。ただ、本来はその間にもいろんな刺激を受けているわけです。デジタル社会に入ってからは、それを一切遮断してしまった生活をしている人が多いんじゃないでしょうか。もはや、デジタルが混ざった自然とか、自然ということの概念さえも置き換わってきたような感覚を覚えることがありますよ。

外部との接触がなくて、非常に限定された入力しか入ってこないような環境にい続けていると、脳という機械はわりあいにちゃんと動いてくれる。それでもって、頭の中で論理をきちんと作り上げることができるんだと。それを典型的にやっているのは数学者でしょ？　雑音が聞こえたり、子どもが遊びに来たりすると、数学はとても考えられないですから。

僕はやっぱり、自然に触れていたいから、東京のオフィスビルって大嫌いなんですよ。あんなところに住んでいる人が政策を決めているのでは、どうにもならないと思うんですよね。

人の脳をコピーすることの限界

井上　今日は養老さんのご自宅にお邪魔していますが、ここまでのお話を伺って、養老さんが北鎌倉の谷間《たにあい》に住んでいる理由がよくわかるなと感じました。カラダから受け取る「入力」を大事にされているということですが、まさにここじゃないと入ってこない、環境からの刺激があるということですよね。木々に囲まれて、虫や鳥の鳴き声が聞こえてきて。確かにここに来ると、カラダもココロも落ち着きます。

養老　庭の百日紅《さるすべり》の木を見てください。あそこに器がぶら下がっているでしょう。よく油カスを肥料として撒《ま》いたりするんですけど、それをあのぶら下がっている器の中にも入れてあって、いろんな鳥がついばむんです。リスも上のバルコニーにいっぱい来ますよ。最近は、カラスがちゃんと知っていて、餌のあるところにまずカラスが来ちゃう。いつもおこぼれにあずかっているから、ちゃんと知っているんですね。

そういう人間以外の住民も、世界にはいてね。そういうものが入ってこないような生活を人間は徹底的に作るでしょ、高層ビルのオフィスとか。

井上　ガラスとコンクリートの世界。

養老　日本の社会を大きく変えていったのは、やっぱり団地ですよね。僕は解剖学をやっていた頃、板橋区にある高島平の団地に亡くなった方を引き取りに行ったことがあった。そこが一三階で、棺がエレベーターに入らないんですよ。仕方なく、せっかく寝ている人を起こして運ぶことになった。

井上　「せっかく寝ている人」を（笑）。

養老　要するに団地はね、人が死ぬということを考えて設計していないんですよ。当時はあそこ、自殺が多かったでしょ。

井上　そうですね。人間的でない無気質な景色が広がっている。ただ、「人間的」ってどういうことかを理屈で言えと言われたら、わからない。人間が生きるって、一筋縄じゃいかないですね。

今のお話と、僕が『人工超知能――生命と機械の間にあるもの――』（秀和システム）という本に書いたことで、若干関係するかなと思う話があるんです。「筑波学園都市に、なぜ自殺が多かったか」という話。人工知能の話とリンクするのですが、デザイナーによって計画的に設計された「人工都市」と人間が生活を営む中で自然にでき上がった「自然都市」って、結構違うということなんです。やっぱり人工的に作った街というのは、綺麗かもしれないけれど、猥雑《わいざつ》さがない。人間、そういうところにずっといると、耐えられなくて死んでしまったり、うつ病になったりするという。

実は、人工知能の難しさというのも、そこにあって。自然の完成品である人の脳を「全コピー」できるかといえば、それはなかなか難しい。なので、僕の友人たちは「全脳アーキテクチャ」というアプローチで「工学的に脳の機能を真似た人工知能が、どこまで人間の脳に迫れるか」という研究を試みている。「海馬」「基底核」「大脳新皮質」といった脳の中の各部位を部位ごとに徹底して真似て、機能を再現させる。つまり、それぞれをモジュールに分けて、機械学習の技術を応用してモジュールごとのプログラムを開発する。それを、いわば「リバースエンジニアリング」してうまいこと組み立て、最後に合体させるという。

ただし、その統合のアプローチには、必ず「人為的な設計」が必要になってしまう。そうすると、設計主義の限界にぶち当たりかねない。人工都市が自然都市と比べて何か欠けているのと同様、「自然知能」と似て非なる「人工知能」にも、何らかの欠落が生じる可能性があるだろうなと僕は思いますね。

コンピュータは意識までは再現できない？

養老　私は昔、脳についてどこかに書いたことがありますよ。「世界中に六四億もあるものを、なんでわざわざ作る必要があるのか」と。

井上　そもそも世界の人口分だけ、「自然な知性」としての脳みそがありますからね（笑）。

養老　井上さんが先ほどおっしゃっていた、海馬やなんやの機能を個別にシステムしていくという還元主義的な研究は、神経生理学がもうずっと昔からやってきたことです。そういう研究がしたいという人たちが現れても、別に何の不思議もない。ただそれが、社会的にネガティブな影響を与えるような方向に突っ走っちゃうと、それはちょっと違うでしょという話になる。

そもそも、汎用ＡＩを議論する前に、「意識って何なの？」と。エネルギーなのか、それとも電気なのか、磁気なのか、引力なのか。未だに何だかわかっていないんですよ。科学上の定義がないんだから。意識とは、基本的に物理で定義できる概念ではなく、物理学そのものが存在する場なんです。意識がなきゃ物理なんて誰もやらないんだから。

意識とは何ぞや、という点を問わずに意識の問題を扱う。それは危ないと僕は思う。僕らは普段、顕微鏡を使っていますから、よくわかるんですが、顕微鏡で全部のものが見えるわけではなく、見える範囲に限度がある。顕微鏡の性能を知らないと、見えているものが正しいか正しくないかすらわからないんですよ。使ってみたら一発でわかります。例えば光の当て方一つで、出っ張っているものが引っ込んで見えたりもする。だから、科学を推し進める場合に、まず扱うものがわかっているというのが大前提ですよ。じゃないと、錯覚が見抜けない。九割はわかっているかもしれないけれど、一割はわかっていない、あるいは二割はわかっていない、あるいは半分以上わかっていないというような「留保」を必ず置いておかなきゃいけないでしょ。

井上　意識の場合は、留保も何も、根本から私たちはわかっていないと。

養老　そうですよ。しかも一日のうち、誰しも三分の一は意識がないでしょ。僕、よく言うんだよ。日本の学生なんかは、一日の半分も意識がない状態ですよと。

井上　半分も寝ているという（笑）。それは寝過ぎですね。

意識の解明は僕も難しいと思っているんですけれども、「なんとなく人間っぽく動く」という、機能的に人間に近いふるまいをＡＩが再現することはできるだろうと思っています。けれども、それは人工知能が意識を持っているという証左にはならないでしょうし、そもそも意識があるのかどうかすらも、よくわかりません。

養老　さっき話した「意識とは何ぞや？」という問いを解明していくアプローチには、二通りあるんですね。意識の解析をする典型的な方法と、もう一つは、「意識の元」みたいなものがあるんじゃないかと、その「元」に匹敵するかもしれない細胞を人工的に開発する方法と。その二つの考え方がある。後者なら、例えば神経科学の分野なんかだと、ヒトの多能性幹細胞から豆粒大の人工脳を作ろうとか、作ったとか、報告はいろいろある。そのミニチュアの脳の中でシナプス結合が認められたりすると、「そこに意識はあるのか？」と騒がれる。
じゃあ、ウイルスは生命かというと、僕は生命じゃないと思うんです。

井上　ウイルスは、また難しいですね。

養老　そこに意識はあるのか？　生きた細胞がない限り、ウイルスは自分で増えることはできませんから、「生きた細胞の一部」と言うしかない。あいつらは、細胞という生態系の一部なんですね。だから、コンピュータ・ウイルスっていう用語があるけれど、あれはウイルスの実態に近い使われ方だよね。コンピュータという宿主があるからこそ、その「一部」になることでどんどん感染していくわけだから。
そうすると、細胞が生命の基本とも考えられる。細胞ができた段階で、すでに意識に相当するものはあるんだ、みたいな考え方は昔からあります。もっとも、意識そのものの定義ができていないんだから、それもよくわからないんですが。

科学は一つの細胞ですら、まだ作れていない

井上　そうすると、どこからが生き物なのかという問いと、どこから意識があるのかという

問いは、密接にリンクしているわけですね。

養老　我々が知っている生き物は、基本的に意識を持っていますからね。猫がそうでしょ。起きているのと寝ているのとでは、区別がありますから。そういう目で眺めてみると、昆虫まではだいたい意識があるんですよ。

井上　昆虫も意識はあるんですね。

養老　昆虫って、おそらく寝るんです。なぜかというと、睡眠に関係する酵素の遺伝子が見つかっていますから。その遺伝子が昆虫の神経細胞でも働いていて、睡眠の制御に関わっていたっていうんだから。

井上　なるほど。寝る生き物は、だいたい意識を持っていそうですよね。

養老　そうでしょ。少なくとも魚までは意識があるでしょう。なかには寝ない動物もいると言われていますけれどね。細かいことを言えば、地球上に多細胞生物ができた段階でもう、意識の元みたいなものが生まれていたんだと思いますね。もっと極端に言うと、さっきお話ししたように、単細胞ができた瞬間に、意識の元が生まれたと。

井上　ミクロの単位で生命が宿り、意識が存在すると考えると、すごいことですね。

養老　ただねえ、細胞というものを我々は十分理解しているかというと、実はそうじゃない。工学系の人はよく言いますよね。「自分たちで作れないものは、理解しがたいね」って。細胞って、世界中のいろんな機関が作ろうとトライしているけれど、なんと、未だに作れないんです。できてもよさそうなのにね、あんな小さいものだったら。

井上　「できそう」と「できる」の間には、大きなギャップがある。

養老　実際にあの大きさじゃなくて、コンピュータのような大きなサイズでも細胞のシミュレーションができるか、試行錯誤が繰り返されているんだけどね。それ自身が自分で増えて、自分でエネルギーを取り込んでいくモデルができるかと。

井上　なぜできないんでしょうね？

養老　それはかなりはっきりしていて、要素の数が多過ぎるから、いきなり組み立てるわけにいかないし、組み立てているうちにどんどん変わっていってしまうから。

井上　そうすると、現段階で意識の正体がつかめずにいるのだから、人工知能の開発には慎重さが求められますね。人工細胞さえ作れないのだとすれば、人工知能と人間の脳との間には大きな隔たりがありそうです。

実は養老さんがさっきおっしゃったことに、私も賛成でして、やはり意識というのは生物の物質的な基盤の上にあるような気がするんですよね。そうすると、もし脳の神経系の「全コピー」みたいなことが可能になって、神経系のつながりを全部ソフトウエアとして再現できたとしても、おそらくそこに意識はない気がするんです。たとえコンピュータの中のソフトウエアとして完全に再現されていたとしても、物質的な細胞がそこにはないからです。よって、カーツワイルさんの願望は、成就できないと思うんですよ。人間と似たような機能を果たすソフトウエアがそこにはあって、自分と双子みたいなものがそこにあるだけで、自分の意識がそっちに行くというふうにはならないと思うんですよね。だから、意識をコンピュータにアップロードできるかっていうとできないというわけです。

クオリアは「情報」として扱えない

井上　養老さんがおっしゃるように、意識のわかりやすい定義は、「起きているときにあって、寝ているときにはない」というもの。僕は、結局それはクオリアを享受できる何ものかだと思うんです。クオリアというのは、主観的に体験しうる感覚ですね。コンピュータが処理しているものは情報であって、原理的には、人間と機能的に等価なものができるような気もするんですが、多分それは「哲学的ゾンビ」に近い。コンピュータが処理するものには、クオリアは含まれない。だけど、機能的に同じふるまいはできるという。クオリアを享受できるという意味での意識というのは、コンピュータ上のどんな高度なソフトウエアも持ち得ないんじゃないかと考えています。

僕はクオリアは、「情報ではないもの」と捉えています。だから「コピー」してコンピュータに導入するなんてできないと。でも、中には「情報として持てる」と言う人もいるんです。人工知能学会とかに行くと、「ＡＩとクオリア」といった発表が普通にある。そういう発表はとても興味深いんですが、みなさん、クオリアというものを勘違いなさっているんじゃないか、と思います。

養老　学会で発表していた方が何でそういうことをわざわざ研究テーマに取り上げているのかというと、あらかじめ「人間の脳とＡＩは同じようなもの」という前提にしてしまっているからだと思う。僕なんか、初めから「違うもの」と思っていますから、問題にならない。

井上　それにしても、ＡＩの開発も議論も絶えないですよね。ＡＩが意識を持てなくても、発達していけばしていくほど、人間の方向には行かないかもしれないんですが、人間に近づいていけるということを目指しているＡＩ研究者も多いわけです。役に立つＡＩじゃなくて、人間に近づけるということ自体が楽しいというか。それこそ、「フランケンシュタイン」

みたいな願望だと思うんです。それで結局、ある程度役に立って機能的にも人間に近いＡＩができてしまったら、やっぱり仕事がかなり奪われちゃうということなのでね。

養老　役に立つ技術に、意識うんぬんは関係ないからね。

「労働移動」の逆流が起きる

井上　僕が気になるのは、ＡＩを他の技術と横並びに語る人も未だに多いということです。僕自身は、ＡＩが他の役に立つ技術と比べて突出しているなと思う点は、機能的には人間に近づいていくところです。バイオテクノロジーもそういう側面がある。いずれも、究極の技術なんですよね。それが人間の根幹を脅かしかねない。

ＡＩはさっき言ったように意識は持てないかもしれないけれど、機能的にはどんどん人間に近づいていく。そうすると、ＡＩに仕事を奪われた人が「労働移動」して、別の仕事に移ろうとしても、そこでもＡＩがすでに活躍していて、結局職に就けないということになりかねない。

養老　産業革命の時代、蒸気機関に仕事を奪われた人は、他の仕事に移れば良かったからね。

井上　はい。ＡＩ化は、ＩＴ化の流れにあるから、あまり新しい雇用を作らない。人々を古い産業の方に戻してしまう可能性がある。これは言ってみれば「労働移動」の逆流です。ＡＩだけじゃなくて、ＩＴ産業があまり雇用を作らないというのは簡単な話で、自動車を一台作るのに、少なくともこれまではある程度の労力や人手がかかっていた。反対にソフトウエアは、一個作ってしまったら、あとはコピーするのはタダ。全然人手がかからない。だから、頭のいい人たちが一つソフトウエアを開発すれば、あとはコピーするだけという点が、特化型ＡＩを含むＩＴの基本的な問題でもある。そしてそれをさらに超えた問題として、汎用ＡＩのように人間並みにいろんなタスクができるものが登場してくると、それが根こそぎ人間の仕事を奪っていく可能性があるわけです。その可能性があるということを前提に、経済や社会を考えていかないとまずいかなと。

養老　僕なんかは、なんでそもそも人間に近づけるＡＩなんてことを考えるのかなと思っちゃう。「ＡＩ開発は進む」という前提で話さないで、「そういう仕事を奪われる社会になったら困るでしょ」と先に言う必要があるんじゃないかと。実際、格差の下側に落ちる人たちからは、今反乱が起こっているじゃないですか。

井上　開発する研究者としては、楽しくてやめられないんですよね。

養老　だから、大学は象牙《ぞうげ》の塔なんだ。研究者は未だに象牙の塔にこもっている。かつてアメリカでは、市民が大学に大砲を撃ち込んだという話が残っています。

要するに学問というのは、社会にとって危険なんです。場合によっては、大砲を撃ち込むべきものでもあるかもしれないと、前提を問う姿勢は大事。それなのに、むしろいいものとして許容してしまったのは、六〇年代の紛争以降の大学ですよ。象牙の塔は、紛争当時、批判の対象だったんだから。これも一種の悪しき民主主義で、忘れたんです。そこに大事なことがあったのを、社会として「忘れた」。

井上　養老さんは、紛争で研究を続けられなかった時期がおありなんですよね。

養老　そう。あのときは権威が全部引きずり下ろされたんですね、僕が育ってくる時代の間に。先生も偉くなくなったし、親も偉くなくなった。でも、かつて権威がある人が持っていた威厳というのは、人間の社会では何か必要な部分でもあった。

井上　何かは是正したかもしれないけれど、ある機能は失ってしまった。それが意外と大事なものでもあったと。

養老　そうなんだよ。機能主義を突き詰めていくと失敗するっていう例だよね。

免疫という枠組みと胸腺——機能主義の矛盾

養老　その分、僕がやっていた解剖学は、「機能」がつかないところが良かった。

井上　死体は嘘をつかないと。

養老　本来の医学は面白くて、人体の働きという機能を見ていく生理学と、機能を見ないでその構造を見ていく解剖学と、その二つを分けてるんです。

ところが、その二つの学問がまったく一緒になったのが、イギリス。アングロサクソン流というのは、物事を見るときに、非常に機能的に見るんですね。機能的に見るとこぼれ落ちるものがたくさんあるんです。なぜかというと機能というのは、「枠組み」を決定しない限りわからないから。

例えば、私が学生の頃「胸腺というのは邪魔だ」と言われていた。お年寄りでは脂肪の塊《かたまり》になって、こんなものはいらないよなって。でも私が大学で研究者になって、若いマウスを解剖してみると、どかんと大きな胸腺が見えるんですね。「何をしてるんだろう、これ」って思ったよ。どうやら胸腺が免疫と関係があるらしい、ぐらいのことは当時もわかっていました。でも、今となったら胸腺というのは、免疫にとっては欠くことができないぐらい大事だとわかる。つまり、免疫という概念がちゃんとしていない間は、胸腺の意味はまったくわからなかったわけなんですよ。

井上　免疫の枠組みができたからこそ、胸腺は浮かばれたわけですね。

養老　本来、機能というのは、その枠組みを前提とするんです。

井上　皮肉な言い方をすると、ＡＩが究極的に「お利口」なのだとしたら、その落ちてしまうかもしれない前提も拾い上げて補足できるようになったりしませんか？

養老　みんな必ずそう言うんですよ。だけど、さっきも言ったように、どこまで行っても機能は「枠組み」が前提ですから。本来、前提を問うのが学問ですからね。だから、逆に言うとコンピュータをやっている人が、「俺がやってる仕事、すごいコンピュータができたら要らなくなるんじゃないの？」とどこかで思わなきゃいけないときが来る。そうすると、俺、こんなことやる必要ないなと。

井上　人って、なかなか自分ごととして考えないですからね。

養老　意識って、根本的に矛盾を抱えていて、自分のことを言及するとおかしくなるんです。それは論理的に解けないでしょ。自己言及の矛盾というやつです。

僕はむしろね、AI社会の脅威を論ずるなら、まずはコンピュータのモチベーションが聞きたいですよ。

井上　コンピュータを扱う研究者が、なぜそういう研究をするのか？

養老　いやいや、コンピュータ自身の。そっち側がどういうモチベーションを持つかという（笑）。

井上　ああ、そういうことですか（笑）。

「AIショック」に人間の身体は耐えられるのか？

井上　少なくとも、今のAIには意識も意志もないですからね。突然意識を持つようになる、みたいなSF的な話もありますけれども。

私はちょっと違う捉え方をしていて。人間の意志とは少し違うかもしれないんですが、例えば「アルファ碁」という囲碁に特化したAIは、囲碁の勝負に勝ちたいという、ある意味「意志」があると言えなくもない。ただ、人間の意志と何が違うかというと、アルファ碁のようなAIは、人間が、「お前は囲碁に勝つように頑張りなさい」と目的を設定している。

だけど、人間は何か一つの設定された意志を持つのではなく、生きている中で突然、ある意志を自ら持つんですよね。

ＡＩ研究者の中には、生命の根源的な意志は、結局繁殖することだと考えてる人が多いんです。そうすると例えば、生存と子孫を増やすことが究極的な目標で、あとのいろんな人間の欲望とか意志というのは、その派生物でしかないという。でも私は、そうではないと思っているんです。進化論的には、結局繁殖とか生存とかに関する欲望を強く持った種が生き残ってきたんだろうなとは思いますが、繁殖に関係ない欲望もいっぱい持っているだろうというイメージを持っています。

結局、人工知能と人間の意志や欲望の違いは、人間はまず、今のＡＩとは違って多様な欲望を持っているという点。それから、欲望自体が変化するということなんですよね。それを私は勝手に「ダイナミックな報酬系」と呼んでいるんです。人間の脳の報酬系というところで快か不快かにより分けられ、欲望が生まれ、それがダイナミックにどんどん変わっていくという。

養老　逆にコンピュータが欲望を持ち得たら、それは人間によって「暴走」と呼ばれることになる。だって、さっきから言っているように、前提は人間が作っているんだからね。

井上　例えば囲碁のＡＩが、突然試合を放棄して「ボーッとしている方がいいので」と言ってボーッとし始めたとか、囲碁をやめちゃって、他に何か楽しみを見いだすなんていうことはしないわけですよね。そうなったら、反乱になる。今のＡＩが、そんなに暴走する恐れがないというのは、人間から与えられた一つの意志、あるいは一つの欲望とか目的ですね、それに沿った動きしかしないからですよね。

養老　僕はそういう議論は常に、さっき言った話に立ち返った方がいいよねと思っている。地球上にすでに六四億もあるものなんて、今さら作ってどうするのよと（笑）。すでにある脳みそだけで持て余しているんだからって。

乱暴なことを言うようだけど、なぜそこまでやる必要があるの？　という疑問が、どうしても起こってきますね。特にＡＩに関する全体的な議論を見ていると。予測することもできるし、論理的に考えるのは面白いから考えるのはいいんですけど、余波が大きいようなものを社会システムにいきなり持ち込むというのは、本当にそれで大丈夫なんですかと問うところから始めないと。ちょうど遺伝子をいじるかどうかという話にも似ているんですよね。ＡＩが社会にショックを与えるとしたら、逆に人間は、それに耐えられるようにできているのか、と問わないと。さっき言った『サピエンス異変』の話だよ。人間が作っちゃった世界に自分の身体が適応してませんよという。僕も腰痛です。虫の観察やって、いつもパソコンの前で座っているから。

井上 先生も腰痛ですか。じゃあ、サピエンス異変ですね（笑）。

養老 おそらく遺伝子型というのは、我々の身体をずっと作ってきた情報系ですけど、改変するのにものすごく時間がかかるんです。一万年から一〇〇万年という単位の年月がいる。人間が登場したのは七〇〇万年前ですから。ところが、それを補完するために、動物は何をしたかというと、神経系を作ったんですね。神経系で学習すれば、非常に早く行動を変えることができる。だから、遺伝子型が作ってきた身体というシステムと、神経系がやっていること、いわば脳が作ってきた社会ですね。これがマッチングしなくなっちゃっているんだと。だから人間は身体の方から具合が悪くなったという点を議論した本なんですね。作者は人類の進化史の視点から俯瞰して、実に丁寧に書いています。

AIとBI（ベーシックインカム）の親和性

井上 一方で、ＡＩは労働の問題とも切り離せないですよね。僕なんかは、労働の内容にもよりますが、基本、働くのが好きじゃない。金儲けが好きじゃないんですよ。でも、誤解していただきたくないのは、お金は大好きなんですよね。お金をあげるよと言われたらもらいますけど、お金を得るために頑張る気になれないんです。経済学者なので、株の取引もしばらくちょっとやってたんですが、今は完全にほったらかしですね。

養老　僕は虫を集めていて十分幸福ですから、金に関心がないんです。だから、不動産を持って資産運用とかもしてこなかったし。お金のことは女房に任せていますから、女房がいつも困っていますよ。「私は本当に、資産を増やすとか、そういう才能がないのよね」と、この間も嘆いてましたよ。

井上　養老御殿がいくつも建っていたりしないですか？

養老　間違ってもそんなことないです（笑）。気が利いていれば、不動産を買って儲けてるんでしょうけど、そういうことはしない。

井上　そこは僕も共通していますね。

養老　お金は必要なだけ入ってくればいいので、足りなくなったら困るから、必死で働く。

井上　今盛んに言われているのは、ＡＩを使う側の一部の人に搾取されて、貧困層が拡大すると。じゃあ、ＢＩ（ベーシックインカム）を導入したらどうか？　ということです。

これには話が二段階ありまして。僕がＡＩとは関係なく、以前からＢＩを導入した方がいいと思っていたのは、生活保護のような、今の社会保障制度がちゃんと機能しているか、疑問を持っていたからです。貧しい人にきちんとお金をあげているかといったら、あげられていないんですよね。捕捉率が二割と言われていて、生活保護の受給資格があるはずの人の八割はもらえていないんだと。もらえる人ともらえない人で天国と地獄なんですよね。では、今の生活保護を拡充すればいいじゃないかという話もあるんですけれど、拡充すると、だんだんＢＩに近づいていくんです。食えない人を漏れなく食えるような世の中にするには、究極的にはＢＩだと思っています。もちろんそれが難しいことはわかってるんですけれども、ＢＩがある社会というのが、ある種、理想だなと。

ＢＩは、それでもってまったくみんなが労働しなくなるという話ではない。支給する額にもよるんですけれどね。例えば、私がよく「月七万円」が適正ではないかと提言しているのは、七万程度だったら、みなさん仕事を辞めないでしょう？　ということなんです。今は、労働が必要な社会なので、月二〇万も三〇万もあげたら、会社を辞めちゃう人が続出して、経済が成り立たなくなっちゃう。

ただＡＩの登場で、どこまで格差が開くのかは、今のところ未知の話。社会に投入されるのが特化型ＡＩだけだったら、ＢＩを導入すべきだとみんなが実感できるようにはならないのかもしれません。ところが、もし汎用ＡＩのようなものが出てきたときに、人々の仕事がかなり奪われることになると、ＢＩが社会を成り立たせるために不可欠な条件になっていくのかなと思っています。今でさえ生活保護がそんなに機能していないのに、仕事にあぶれる人がたくさん出てきてしまったら、一人一人資力調査や審査をしていられないですよという話なんです。

養老　カウントするのにも、コストがかかりますからね。

井上　そうですね。さらに、ただでさえ現行の制度では取りこぼしがある、給付されない人がいるという生活保護の問題点が、もっと膨らんでしまう。とても対処できないというので、汎用ＡＩが登場したら、ＢＩが社会的には不可欠になると思います。

私は大学のときにコンピューターサイエンスを学んでいたので、ＡＩのゼミに入ってたんです。その後、二〇一三年くらいから再びＡＩに興味を持ち、「ＡＩが進歩していくのを止められないな」と思うと同時に、ＢＩが不可欠だろうと思って、「ＡＩとＢＩ」というキャッチコピーまで作りました。「ＡＩによって奪われた収入はＢＩで補完しよう」という考えを広めたくて。

「誰が食わせてくれてるんだ?」から始める経済の議論

養老　ベーシックインカムについて言うなら、日本という国が何をどれだけ必要としていて、何を買わなくちゃいけなくて、なんで稼いでいるのかという産業と需要の全体の帳尻を見なければいけないんだけど、その点を誰が見ているのかなという疑問がありますね。多国籍企業が入ってきているからややこしいことになってると思うんですけど、そこらへんをまずはっきりさせないと、経済って考えられるのかな?　と僕は思うんですね。日本国の貸借対照表みたいなものがね。日本全体の資産をあぶり出すというか。そうじゃないと、議論がどうも宙に浮く。いわゆる文化系の議論でね。

例えば僕がずっとだまされてきたのは、日本は輸出入がないと生きていけない国だということを、散々教えられてきた。だけど、実際にGDPの輸出依存度という、輸出でどのくらい稼いでいるかを見ると、一四~一七%ですよ。その数字を聞いた人は、ほとんどが信じられないと言うんだけどね。つまり、メディアの売り込んでいる常識は、輸出入に対する過度の依存体質でね。冗談じゃない。韓国もドイツも五〇%近くなんですよ。日本はそれよりはるかに少ない。元ゴールドマン・サックスのアナリストだった、デービッド・アトキンソンさんが僕に教えてくれたんですよ。「その数字って、日本は自前で食っていけるってことですよ」といきなり言われたの。ただ、買わなきゃいけないものがあるんです。それは石油なんですよ。だから、我々は石油を買うためにどれだけ働けばいいの？　という、本当の意味の帳尻合わせというのか、全体としての見立てを最初にやらなきゃならない。

僕が経済を考えると、乱暴な考え方をするんですよね。「それじゃ、食べ物はどのくらい確保すればいいの？」と。ずっと以前ですけど、食料自給率の問題を農水省で議論したことがあります。農水省が言っていたのは、二〇年くらい前の数字だけれども、輸入を一切止めたとしても、日本の田畑だけで戦後の国民が摂《と》っていた総カロリーは保証できますと。だから、ギリギリ食っていけない国ではないと。食い物という意味ではね。

井上　じゃあ、我々は相当煽られていたわけですね。

養老　そうですよ。だから僕は「本当のところ、国としては何が要るのか？」という話に常に戻るんですけどね。極端に言えば、そこが確実に維持されているのであれば、あとはどうでもいいんですよ。それがわかった上で食っていけない人たちの層が現れたのであれば、金持ちから分捕ればいいわけで。

井上　確かに。食っていけない層が、これから目に見えてくるでしょうし。

養老　別にＡＩが登場しなくても、これまで日本はしょっちゅうそういう帳尻合わせのための運動を起こしてきたんですよ。米騒動や百姓一揆がそうです。あれは、俺たちは食えないんだって、かなりギリギリの線だったと思います。そういう行動を起こすのって、当然の権利でしょう。だって、誰がどのくらい困ってるかって、外から見てもわからないもの。

結局、国の収支が見えてきたら、あとは帳尻を合わせて足りない人のところに回す分だけを「持ってる人」から取るってこと。要は「誰が持っていってるんだよ？」という話でしょ。

井上　「誰が持っていってるんだよ？」を見える化すると。

養老　そうそう。逆に言えば「誰が食わせてくれてるんだ？」と言っているんです。僕はずっと若い頃に、経済学者の竹中平蔵さんに聞いたことがあります。「俺を食わしてくれてるのって、実質誰なんだ？」って。それは、きっと他の人に違いないと。そしたら竹中さん、さすがに経済学者だなと思ったけど、供給側のＧＤＰの中で、実質的に新たな価値を作り出している額が高い業種を挙げて、何業は何％だと数字をパッと出していましたね。霞が関で会合ばかりやってたって、国民のためになってませんから（笑）。

井上　確かに、長い会議よりもそちらの方が経済学者の仕事ですね（笑）。

養老　その上で、今の段階で日本がどのくらい外国に借りていて、どのくらいのものを売って、つまり仕事としているのか。国としての仕事の総額というのは、どのくらいあるんだろうというのを把握してないと、危ないよね。今後ＡＩで仕事が減るといっても、そこをきちんと把握していなかったら、再分配なんてできっこないんだから。そういうことを誰が考えるのかな？　と思うわけね。政府や省庁は、元来、そういうことをするべきでしょう。

AIとエネルギー問題

養老　指針になる一つとして、一番大きいのはエネルギー需要ですよ。エネルギーは最も根幹で、ないとどうしようもないから。今ほとんどの原発を止めているけど、本当に止めていいのかどうかを安全保障の面からも議論しないと。エネルギーの供給がうんと減ると、国として危ういからね。かつての戦争だって、本当のところはエネルギー問題だったわけで。そうすると、原発をどこまで動かしていいのか。あるいは、動かさざるを得ないのか。これは、原油価格にかなり依存する。じゃあ、原油価格を決めているのは誰だ、という話もあって。簡単には価格を動かせないでしょうね。なぜなら、原油価格を上げると、実体経済はたちまち下がってきて、途端に世界的に不景気になるから。

僕はね、AIの脅威を前にベーシックインカムの議論をするというのもいいんだけど、議論の前提としてもっとベーシックなところで、物質的な基盤がまず確保されているかを見ている。これは現時点では確保されているんだと思いますね。だけど、これがいつ壊れるかわかりませんから。一番怖いのは、東京の直下型地震でしょ。みなさん、一応直下型地震みたいな大災害は東京には起こらないことにしてやっていますけど、オリンピックの年に起こったって別に不思議はないわけで。

井上　AI的な、と言うより「IT的なものの延長線上にあるAI」って、物質的なものからものすごくかけ離れているものを議論するから、大事なことが抜け落ちることはありますね。

養老　具体的な現場では知ってるはずですよね。例えば、大型コンピュータだったら、まずどう冷やすかということが一番の問題ですから。

井上　ちょっと観点が違うかもしれないんですが、今のAIは、結構物質的なものと結びついてはいるんですよね。例えば農業や小売の現場なんかで、AIが使われている。もしAI

にいい面があるとすると、そういう直下型地震に関しても、災害の予測や起きた後のシミュレーション、人命救助などに使えないかと。そういう利点はあると思っているので、私自身はＡＩに関しては、やっぱり光と影の両方があるという考えなんです。

さっき先生がおっしゃったように、みなさん結構地震を甘く見ていますよね。首都直下型地震が起きたら、多分政府の公式発表よりも、もっと多くの死者が出るはずなんです。それに対する備えがちゃんとできているのかと言ったときに、多分あまりできていないでしょう。

例えば大田区なんかは、人を救出する通路の確保という観点から見ると危険ですね。荒川区や足立区よりも、家が近接し過ぎて火災によって燃え移ってしまう地域だと言います。消火しようにも道が狭いから消防車は入っていけない。それに、同時に沢山の場所で火災が起きたら、消防士さんも対処しきれない。首都圏でも一番死者が多く出るだろうと言われているらしいんです。それを今のうちにシミュレーションして、例えばスプリンクラーをどこに付けておけば大丈夫だとか、いろんな工夫があっていいと思うんです。

ＡＩを発達させることで、何かもっといろんな社会的な問題を解決する方向に向かえばいいんですが。ＡＩの使い道として、今は必ずしもそういう方向には行っていないのでは、という気がしますね。

「規模の経済」とGAFAの脅威

養老　ＡＩ脅威論の最たるところは、人間の仕事をなくす方向に行っているということでしょう？

井上　そうですね。単純労働の肩代わりだけでなく、芸術家の仕事までなくそうとしている。しかも、盤上の格闘技と言われるような将棋の棋士の戦いにも、ＡＩが参戦している。というか、ＡＩとＡＩが競っていたり（笑）。

養老　あれは将棋というより、違う競技だよ。オリンピックの一〇〇メートル競走で、誰がオートバイと競走するかってんだよって。

僕はね、「ＡＩよ、これ以上、人間から幸せを奪ってどうする？」みたいなことは言わない。効率化の功罪って、人類社会でずっと味わってきたことでしょ？　今は日本中、どこに行っても街中に店がないじゃないですか。この間、小田原の街を歩いたら、ほとんどシャッター街ですよ。ＡＩの影響がうんぬんという以前に、とうの昔からみんなが失業してますよ。大きな店ができるようになって、社会の構造が変わってきたんだよね。

それと、コンビニなんかは、日々の客の需要が予測できるようになってますから、商品をタイムリーにいい按配《あんばい》で棚に置ける。徹底的に無駄がない。だから、いつ売れるかわからないものを置いているようなお店屋さんでは、とうてい太刀打ちできない状況になってるでしょ。そこには、流通の効率化だけじゃなく、確実にコンピュータが関わっていますけどね。

井上　結局は、ＩＴ出現が恐怖というよりも、「規模の経済」が働くことの恐怖なんですね。そこが、ＩＴ化やＡＩ化の波を普通の経済学の文脈では語れないところなんです。

普通の経済学では、「限界生産力逓減《ていげん》」といって、理論的には会社の規模を大きくすればするほどだんだん生産力の伸びが止まっていってしまうと考えられている。そうすると、小さい企業が乱立するはずだと。けれども、実際の経済を見ていると、大きな会社の方が勝ってしまうんですよね。なので、ＩＴ出現以前に、巨大スーパーチェーンみたいなものが勝ってしまうという構図は、従来もあるんです。

それでも、ＩＴはますます「規模の経済」が働いてしまうんですよね。ぽっと出の企業がグーグルに勝てるかといったら、勝ちようもない。検索エンジン自体、最初はいくつかあったのが、結局グーグルが牛耳《ぎゅうじ》ってしまった。後発参戦組のハードルは、かなり高い。ＧＡ

ＦＡのような、覇権を握っているプラットフォーム系の企業が、まさに「規模の経済」を働かせる。プラットフォームには「ネットワーク効果」というのもあって、利用する人が多ければ多いほど、どんどん便利になっていくという仕掛けなので、昔でいう電話と一緒ですよね。アメリカの通信会社「ＡＴ＆Ｔ」なんかは、何度も独占禁止法に引っかかってきましたよね。

そのくらい、プラットフォーム系の企業は、いったん独占状態になると覆せない。勝者総取り経済という言葉もありますけど、ＩＴ系企業はまさに「総取り」になってしまっている。そしたら、ちょっと申し訳ないんだけれども、税金はたくさん払ってくださいという話になるんですけど、そういう企業ほど税金逃れもできてしまうんですよね。イギリスはすでに、プラットフォーム系企業の税金逃れを狙い撃ちにする法律を作っています。

養老　それで、どこまで制御の機能が働くかですけどね。

井上　そうですね、でも、そういうことをせざるを得ないと思いますけどね。

人間はこれから一次産業に戻っていく

養老　もう少し未来志向の話もしましょうか。ここにきて、介護もロボット化してＡＩを投入するんだ、みたいな話がちらほら出てきているけれど、僕は自分がそういうロボットに介護されるとかいうことは考えませんね。僕はＳＦが好きだし、ロボットの話も読んできたけれど、ＳＦはＳＦだからいいんであってね。現実化したら面白くないんですよ。

僕が考える未来像の一つは、人間はこれから一次産業に戻っていくんじゃないかというものです。さっき井上さんがおっしゃった「旧労働に戻る」というのも、ある意味同じことですよね。井上さんはさっき、ネガティブな例として挙げていらしたけれど、見方を変えれば、それは、むしろハッピーでしょ？　とも思うんです。

ちょっと調べたんですけど、例えば今のＪＡに則った農業と、いわゆる有機農業とは、全然違うんですよ。後者の場合、例えば、ジャーナリストが有機農業を調べたかったら、農家を一軒一軒訪問するしかないんです。みんなが違う場所で違うことをしているから。要するに、バラバラってやつ。それが、さっき言ったＧＡＦＡ的世界との違いですね。

最近「生物多様性」という言葉をよく聞くけれど、「生物多様性」という言葉自体に効率化の価値観が染み付いている。「生き物にはいろいろありますよ」ということまでひと言にしちゃうんですよ。すっきり一語で（笑）。

井上　完全にスローガンですね。

養老　もう、一〇年も前になるけど、ＣＯＰ10（生物多様性条約第10回締約国会議）の前に、経団連会館で経団連の評議員会副議長（当時）の大久保尚武さんとＷＷＦジャパン会長（当時）の徳川恒孝《つねなり》さんと僕の三人で、生物多様性に関する座談会ってのをやった。開口一番に僕が言ったのは、「蚊もハエもゴキブリもいない部屋で、なんで生物多様性の話をするんですか」。

生物多様性は、概念として頭で理解しただけでは、単なるスローガンで終わってしまう。「ああすれば、こうなる」式の単純な思考では、生物界の複雑な関係性は捉えられない。感性でこれを捉えるには、自然と触れ合う機会を増やすことだよ。失われつつある人間の五感を取り戻す必要がある。だから、一次産業に戻っていくことはハッピーなことなのではないか、と思うわけです。

井上　とどのつまり、人間が頭を使うほど、物事がわからなくなるという。

養老　それは人間の抱えている矛盾なんですよ。理性というものが抱えている矛盾と言い換えてもいい。理性って、簡単に言えばコンピュータ的思考。それでは多様性のあるものは把握できないんですよ。足掛かりに使うのが「統計」なんだよね。統計って、物理学から量子力学に入っていったとき、そこに最初に登場するんです。おそらくあそこから、物理学という自然科学の実生活への応用が始まるんです。

世の中の事象って頭の中で統計として扱えば、コントロールできるんです。医学が完全にそうなりましたからね。僕が大学の医学部を辞める二五年前は、病院に患者はもういませんでした。どういう意味かと言えば、医者は患者を診なくなった。

井上　医学が統計学になった？

養老　そうです。医者は目の前の人じゃなく、情報を見てるんです。検査の結果ですよ。

井上　大学病院のようなところで、診察中にお医者さんが一度も目を合わせなかった、なんてエピソードは山ほどありますよね。

養老　経済学なんかでも出てくると思うけれど、例の釣鐘《つりがね》型をした正規分布のグラフがあるでしょ？　統計学で定番の「ベルカーブ」。検査の結果の九五％が、この釣鐘型の範囲に入るように調整してるんですよ。身体こそ多様性の塊なのに、数字で全部統制されている。それが現代医学なんです。医者は「それだったら検査結果を見るのに患者はいらないから、データさえ送ってくれればいい」って。僕は大学にいた頃から、「そのうち、病院で一番大事になるのは付き添いさんだよ」と言ってたんです。当時、患者さんに直に接して相手を人間として見ているのは、付き添いの人だけだった。

井上　もう、その頃から？

養老　そうなんだよ。今なんかは、完全にそうなってますよ。

「人間臭さ」という処方箋

養老　ＡＩに限らず、社会が何らかの波をかぶるっていうときに、まずその波が日常生活のどこに入り込んでくるか、そして自分はどこに依存せざるを得ないか、ということは冷静に見ていく必要がありますよね。それは、決して善し悪しという問題でもない。まさしく「事実」を押さえるということですよね。

　僕だって、パソコンを年中使ってる。パソコンを使っている時間と、うまく動作しなくていじっている時間と、どっちが長いんだろうと思うくらい。

井上　そういう現実を見るという。

養老　そう。そうすると、そんなもの無視すると言ったたって、無視できるわけがない。「もっと便利じゃないと困る」「あんなに壊れないでくれよ！」って騒いでいるわけだから。

井上　それにしても、養老さんまでコンピュータに振り回されているとは（笑）。

養老　自分が生きてきた時間で、環境がそんなに変わってきたんだなと。そうやって俯瞰して文明を眺めたら、人間の仕事がなくなっていくとかっていうのは、むしろ必然だって映るでしょ？　自分の町の風景を見たってわかる。無人でいろんなことができちゃう世の中。最近なんかは、コンビニのレジだって無人ですから。これだけの変化が起こっていながら、なぜもっと人間が反抗しないのかが、むしろ不思議だと思うくらいだよ。

井上　もっと反抗せよと。

養老　だから、フランスで起きた「黄色いベスト運動」を見ると、ＡＩの問題にとどまらない、格差社会へ向かう世界全体の大きなうねりを感じますね。冒頭で述べた、スウェーデンで和牛が流行っているというニュースを観ていても、南北格差ってすごいんだなと思えてくる。「五万六〇〇〇円払っても、スウェーデン人は和牛を食べたいのか！」と。一方で、地球の裏側でベネズエラの国民は揉めてるでしょ？　アフリカなんかの状況も含めて世界の格差を見ていると、目を覆いたくなる。

　格差が一切あってはならないということじゃなくて、僕は違いっていうのはあってもいいんだろうと思ってますけどね。多様性が高いというのは、大事なことだと思うんですよ。だけど、それなりの安定がないといけないわけで。そこへ殴り込みをかけているのが、グローバル経済を進める多国籍企業なのかＡＩなのか知りませんけど、いろんな手を伸ばして資本を持っていっちゃうのは、やっぱり問題。

だから、スターバックスが「イタリアには進出しない」と言っていたんだよね。あれは面白い決断だよ。あそこの社長は、イタリアでコーヒーを飲んで感激して、世界中にこういうコーヒースタンドを広げたいと言って事業を起こして、ついにイタリアでは事業展開しないと言ったんだと。そこらへんの抑制の按配が、人の大事な部分であり、人間臭さだと感じるよ。そうは言っても、最近ではミラノに数店舗だけ進出したみたいだけどね。

井上　情なのか、戦略なのかよくわからないけれど、ＡＩだったらイタリアを聖域にはしないでしょうね。

養老　余計な話ですが、僕はイタリアみたいな社会に注目していて。紀元前からずっと都市をやってきて、都市で生きるとはどういうことか、相当わかってるはずなんですよ。そうするとローマは、東京みたいにはならないでしょ。東京はちょっとでか過ぎるし、北京や天津なんて、もう、本当に人が住むところかよ？　という様相だよね。一〇〇〇万、二〇〇〇万人クラスの人口がいて。イギリスのロンドンも大きい。フランクフルトだって、せいぜい一〇〇万人都市でしょ？　適正サイズというのがあると思うんですよ。それと同じで、ＡＩも適正サイズがあると思いますよ。あまり大きなものを作ってしまうと、人間はそんなに簡単に変われませんから。

井上　人間をいじるというのは非常に危ないし。

養老　だからさっき言われたように、ＡＩを作るしかないなと。人間側もＡＩ側も負の側面というのは必ずある。規模の経済が働けば、反乱は起きる。我々の社会の構図を全部わかってくれて、さらにそれ以上の能力を持ってるという人に、僕らは全部預ける。そうすれば我々の使命は終わりという（笑）。あとはそいつが考えてくれればいいんで、俺の知ったことじゃないという。それでいいと思いません？

井上　なんだか、まとまりましたね（笑）。ありがとうございます。

第3章 AIから人間を哲学する

岡本裕一朗 × 養老孟司

岡本裕一朗《おかもとゆういちろう》

玉川大学文学部名誉教授。1954年福岡県生まれ。九州大学大学院文学研究科哲学・倫理学専攻修了。博士（文学）。九州大学助手、玉川大学文学部教授を経て、2019年より現職。西洋の近現代哲学を専門とするが興味関心は幅広く、哲学とテクノロジーの領域横断的な研究をしている。著書『いま世界の哲学者が考えていること』（ダイヤモンド社）は、21世紀に至る現代の哲学者の思考をまとめあげベストセラーとなった。他の著書に『フランス現代思想史』（中公新書）、『答えのない世界に立ち向かう哲学講座』（早川書房）など多数。

ＡＩが哲学する日は来るのか？

岡本　養老さんとは初対面なのですが、どこから話しましょうか。私の場合、哲学の話じゃなく「岡本さんのプライベートは？」と聞かれるのが実は一番苦手なんですよ（笑）。プライベートがない、と言えばないんですけどね。

養老　ひたすら哲学を？

岡本　いやいや、そんなことはしたくない（笑）。それに、ひたすらということもないですよ。

養老　「思索などする奴は緑の野にあって枯草を食う動物の如し」って、西田幾多郎も言ってますが、これ、もともとはゲーテがメフィストに語らせた言葉でしたね（笑）。

岡本　禁断の果実を食べてしまった人間ということで。哲学者といっても普通の人です。ただ、考え方に癖はあります。例えば、究極的な一つの原理や、独自の発想が頭の中でぽんとでき上がると、「それですべての物事を説明したい」となる。こうした抑えがたい衝動が哲学者の特徴でしょうか。まあ、逆に言えば、それをあえて実践する人が哲学者ということとなんでしょうけれど。
　ときどき思うんですが、哲学者って一般的にどんなふうに見られているのか、どうも居心地が悪いんです。人生論を説教したりする、胡散臭《うさんくさ》い学問だと思われたりすることもあって。

養老　みんな好き勝手に哲学者像を作り上げているからね。

岡本　また、「哲学者って、どんなふうに頭を使ってるんですか？」と聞かれることがあるんですが、非常に難しい質問です。世間的に見れば、それだけ普通の頭の使い方とは乖離《かいり》がありそうだと。まあ変なことを延々と考えているという、それは実際そうなんですけども。

養老　僕の素朴な理解として、哲学は、最初に前提を問う学問だと思っている。

岡本　まさに、そうです。基本的には、自分たちが生きる時代に一体何が起こっているのか、問い直しをするという学問なんです。
　だから人工知能の話も、もしＡＩが人間と同じように思考することができるとすれば、そもそも人間がやっていることは一体何なのかと逆に問い直します。それを明らかにしたいという欲望あるいは好奇心から、私は『人工知能に哲学を教えたら』（ＳＢ新書）という本を書いたんです。「そうするとどうなるか、考えてみよう」という思考実験のつもりで書いたんですよ。「ＡＩには多分哲学なんてできないよ」というのが普通の感覚だから、私はあえて逆手を取って、「ＡＩにも哲学は可能だ」という前提を作って話を振った。でも、荒唐無稽《こうとうむけい》なでっち上げではなくて、哲学の議論としては、その議論の内容と論理の組み立て方を全部、明示的な形で形式化できるというふうに私は思っているんです。

養老　「果たしてコンピュータは、前提を問うのかね？」という点については、いろんな考え方があるんでしょう？

岡本　はい。学問の系譜を辿って議論するような文脈なら、当然できる。例えば、「西洋哲学の伝統はプラトンの哲学の脚注に過ぎない」といった話を考えてみるとき、プラトンの概念と、そこから出てくるいくつかの学問の系譜とを比較するという作業はできますよね。さらに他の哲学者の解釈についても、どういう解釈の可能性があるかと検討するのは、ある程度、できます。むしろ、私たちは「今この哲学者がこんな発言をしていたのは、この学問の系譜に則っている」といった形で、以前なら、ある程度は「勘」を使って分析していたところがあります。ですから、こんにちＡＩの方がもっと緻密な分析をして、精度の高い形で形式知化するということはあり得ると思っています。とはいえ、まったく新しい哲学を考えるということは今のところできないんじゃないかと思いますが。

概念を作り出すことが哲学の仕事

養老　そもそもコンピュータに「哲学を作る仕事をやれ！」って言いつけたら、「なんでそんなことまでやらなきゃいけないんですか」って言ってきたりして（笑）。そしたら、「AIなんて、もう使いものにならんわ」って言って、お終いになる。

岡本　確かに、AIが喜んで哲学をするかどうかは微妙ですね（笑）。というのも、哲学は、あらかじめ与えられた問題を解くといった、AIが得意とする作業ではないからです。フランスの哲学者、ジル・ドゥルーズ（一九二五―一九九五）は「哲学者とは概念を創造する者だ」と言って、哲学が新たに問いを設定することを強調しています。そういう形で、概念を作り出すことそのものが哲学者の仕事でもあるわけですよね。

養老　概念や前提を作るということは、哲学に限らず学問全般において重要ですよ。例えば分類学でも、やっぱり「種」の概念はものすごく重要になってくる。生物のこのグループと、このグループは結構違うけれど、この違いを内包したまま同じ「種」ということにしていいかどうか、と議論する。分類するとは、まさしく概念を作ることそのものですからね。

岡本　専門家のさじ加減一つで決めていくと。

養老　そもそも決まりはないですから、その分類の専門家がそこで決めるわけです。当然、異論が出てくるので、それを真面目に突き詰めていくとものすごい喧嘩《けんか》になります。なんでそんなことに人間の存亡がかかっちゃうんだろうと。

岡本　哲学の場合、そうした概念について「操作概念」と称するんですけれども、それ自身は説明されないのですが、逆にその「操作概念」を使って、全部の説明、解明をしていくというパターンなんです。ある意味で一番難しいと言われるんです。デカルトだったら「コギト」だとか、プラトンだったら「イデア」だとかっていう根本的な概念ですね。ところが、「イデア」そのものがどんなものかなんて、プラトンは定義風には一回も説明してくれないんですけど、それでも「イデア」という概念を作り、それで全部を説明していきます。それが概念を作る基本のやり方なんですが、一番困るのは、例えば哲学者が問題を解明するときに、一番基本のところの概念については、彼らは全然自分でわかりやすく語ってくれないわけです。それを後から続く人たちがどうやって理解して説明をつけていくかというのが、一つの解釈なんです。

養老　「種」の特定もそうですよ。植物分類学を開いたリンネが最初にこういう学問なんだと書いたときは、別に定義をしたわけじゃない。まさに操作概念で、これこれはこういう種類のものなんだよと記述していった。だけど、それで生き物を分けていったら、後でいろいろな問題が起こってきたということですよね。

それって、教育の問題なんですね。自分たちが教えてきたのは、そもそもが誰かの「偏見」から作られたものなんだ、という認識がないと。そういうところに、ソクラテスの論法が必要になってくる。本当は、哲学者がきつく言わなきゃいけないことの一つだよね。

岡本 そうですね。

養老 僕は、日本では哲学って、だいぶ誤解されていると思う。いつも頭にきていたのは、学生が僕に「先生が言っているのは哲学です！」なんて指摘してくるんだよ。いやいや、俺は哲学のことなんか、一言だって言ってねえっていうのに（笑）。「俺の言ってることが哲学であるかないかって、君はちゃんと分けられてるんだから、あんたは哲学ってものの何たるかがわかってるんだね」って言ってやりたいよ。

岡本 一般用語としての哲学は、多分別の意味ですね。

養老 哲学って言葉がいい意味で使われるのは稀で、だいたいの場合は、悪い意味で使われていますよ。学生が僕に言いたかったのは、「先生が今言ってるのって、主観ですよね」ということですから。

岡本　ストレートに言うと、「先生の勝手な主観的解釈」ということかもしれませんね。

養老　そう。だから、そこで学生が言っている「哲学」というのは操作概念です（笑）。日本の哲学って、概念を「操作」しすぎてかなり反語的な使われ方になっている。

ＡＩの影響力は限定的

岡本　ＡＩに関して言いますと、私は際立って脅威を抱いているわけでもないし、礼賛もしていません。もともとＡＩに専門的に取り組んできたわけではありませんが、自分の興味のある問題をいくつか考えたら、その中でＡＩの問題に行き当たったということでいろいろ調べたり発信したりし始めたのが関心を持ったきっかけです。そうしたら、出版社から書いてくれと機会をいただいて。

私がＡＩを考えるとき「人間とＡＩとは、どこが違う」、あるいは「どこが同じ」といった表現を使ったりします。全部同じであるはずがないし、全部違うわけもない。だから「どこに焦点を当てるか」という視点が大事だと思っています。社会の言説を眺めていると、ことさらに脅威を煽っているような論も見かけるし、「こんなすごいことだってできちゃいますよ」という論についても洪水のような情報がある。哲学の立場からは、「もうちょっと落ち着いて考えてみませんか」という提案をしてみようというのが一つの狙いだったんです。
それと、ただ違いを導き出して終わりにするのではなく、逆に言うと「人間がやっていることは一体何なんだ」という点をあぶり出したいなと。だからあえて戦略的に「この話だったらAIもできるんじゃないか?」と問いかけをすることで、「人間のやっていることが果たしてどれぐらいのものか」が見えてくると考えました。そうすると、当然批判もたくさん出てくるだろうから、どんどん批判もしてもらおうと。

養老　AIが仕事を奪うって言って、みんな戦々恐々としているけれど、そもそも僕は「AIって、本当に社会の役に立ってるのか?」と疑問に思っている。社会へのインパクトを客観的に測ると、AIそのものは、それほどまだみなさんに大きな影響を持っていないんじゃないかと。技術として非常に進んだのは、むしろ通信の方ですよね。電話から始まり、ネットが出てきて、通信の発達が世の中をガラリと変えたのは間違いない。

岡本　そうですね。AIの影響力は今のところ、限定的です。

養老　じゃあAIを何に使えば有効かなと考えてみるとね、虫を分類させようかなと思って。僕、よく似た虫をいっぱい集めていてね。採取した地域ごとに微妙に種類が変わるので、ＡＩに判別させたら、僕とＡＩのどちらの方が能力が高いかがわかりますよ（笑）。そういうテーマは利害関係が何もないから、実験としては面白いかなと思って。

　虫の脚なんかね、みんな同じように見えても、微妙に違うことは確かなんです。それをどのぐらいコンピュータが判別してくれて、「これは種類が違いますよ」とか、「違いません」とか言ってくれるかなと。

岡本　果たして、どこまでわかるでしょう。興味深いですね。

養老　でも、こっちが教師になってコンピュータに教えて育てなきゃならないとすると、面倒くせえなと思って。それなら、人間に教えた方が、まだましじゃないか、とも思うけれどね。

優しいロボットと意地悪な人間、どちらに介護されたいか問題

岡本　私は自分の本で「ＡＩは、理性主義から経験主義へと舵《かじ》を切った」と述べているんですが、ＡＩは人間の知性にどこか近づいてきたという感触はあるんですよ。ただこれは、基

本的にディープラーニングとか機械学習のことを指して使った表現で、指している範囲は限定的です。もともと、私はこの話をするときに、「グーグルの猫」をよく引き合いに出すんですが、画像認識に関して未だに謎だなと思っていることがありましてね。何千万枚とか単位はわかりませんが、数多《あまた》の画像をランダムに見せたら、グーグルの巨大頭脳が猫を認識したみたいに言われているわけですね。しかし、考えてみれば、AIに限らず人間だって、まったく無秩序に画像を見せられたときに、何の示唆も与えられないで、闇雲に見る経験だけで猫を認識することはできるのかという疑問がある。

養老　その話はね、僕も長いこと疑問に思ってきた。これ、昔からある謎で、哲学者も問題にしたと思うんですけど、人間の子どもがね、「ワンワン」と「ニャンニャン」って言葉で言うと、視覚的な情報と結びつけてぱっと覚えちゃうんですよ。これは、どうも遺伝的に、ああいう身近な動物は区別ができちゃうんじゃないか、という意見があります。特に犬猫みたいな近しい存在については、人間にはあらかじめ概念の枠ができているんじゃないか、と。なぜなら、特定の脳障害があると動物の区別がつかなくなると言いますから。だからAIを使って画像を解析して、その中で「猫」と振り分けているのは、我々がやっているプロセスとは何かが違うという可能性が高いんです。普通の人はね、「猫」という定義があって、それに近づけていくんだと思っているんですが、おそらくそうじゃない。

岡本　そうじゃないですね。私が、「ＡＩは経験主義に舵を切った」と言うのは、学習の仕方を変えたという意味合いで言っていることでして。当然、経験からすべてわかるわけじゃなく、やはり、何らかの形での人間の介入が行なわれているはずだという側面も含んで言っているんです。

養老　「ＡＩが人間の大脳に近づいた」という話だって、脳の分野から言うと、一部の機能限定の話ですよね。０か１００かみたいな発想でＡＩを捉えると、ちょっと危うい。典型的な例が、介護ロボットだよ。介護する人が要介護の人を起こしたり寝かせたりするときに、腰が痛くならないようにパワースーツみたいなものを着るとか、そういうのはいい。でも、介護ロボットにすべてお任せみたいな発想は、僕なんかは御免だね。いくら優しくても、ロボットに介護してもらいたいとは思わないです。やっぱり意地悪な介護士でも人間の方がいいよね。「あの野郎」とか、「こんちくしょう」とか思ってるのが、生きているっていうことだから。それが、コンピュータに変なことをされて「あれはバグです」って言われて済まされたら、面白くもおかしくもねえ（笑）。

「トロッコ問題」にまつわる誤解

岡本　最近では、AIによる自動運転車がよく問題になりますが、自動運転で事故が起こった場合、誰が責任を取るのかという点が議論されていますね。こうした議論で、必ずと言っていいほど引き合いに出されるのが「トロッコ問題」です。暴走するトロッコが近づいてくる。このままだと五人の作業員が轢《ひ》かれてしまう。あなたの前には一つのスイッチがあり、それを押せばトロッコの進路は変わり、五人は助かる。しかし、変更した進路の先にも一人の作業員がおり、その場合はその人が犠牲になってしまう――つまり、「ある人を助けるために他の人を犠牲にすることは許されるか?」というジレンマを扱う一種の思考実験です。もともと「トロッコ問題」は、イギリスの哲学者で倫理学者のフィリッパ・フットが提起した、倫理的なジレンマについて考えるための思考実験でした。一九六〇年代からすでに議論があって、そのときは、そもそも人工妊娠中絶を正当化できる論理があるかどうかという話の中で出てきた。国によっては人工妊娠中絶が禁じられていますから。もしも妊婦が子宮を摘出しなければいけない病気の場合、摘出は許されるのか? 子宮を摘出すれば妊婦の命は助かっても、胎児は死ぬ。それは良いのか。中絶と同じように悪い行為になってしまうのか否かと。

養老　カトリックの国では、中絶が禁止されてきたからね。最近になってアイルランドが合法化したけれど。

岡本　その後にアメリカのトムソンという方が、定式化をいっぱいやったんですけど、それも、生命倫理の中で取り扱った話ですね。日本でわりと有名になったのは、マイケル・サンデルさんの「白熱教室」の模様がテレビで放送されたのが大きい。ただ、非常に誤解されている方が多くて。多分、「五人か、一人か」という究極の選択が「トロッコ問題」だと思われているようですね。実はその選択が問題ではないんです。スイッチの他にも、陸橋の上から人を突き落とすかどうかという場合など派生問題がいくつかあって、場合により判断が分かれるとすれば、なぜ判断が分かれるのか。それを説明できるちゃんとした根拠があるかどうか。そこが大事なんですね。トロッコの場合だと、功利主義的に五人を助けて、人数の少ない方を犠牲にするという判断が多くなる。でも、かたや橋の上から人を突き落とすとなれば、「いやいや、突き落とすのはさすがにできない。だからここは義務論で、五人は見捨てることになったとしても、人に害を加えてはならないということでいきましょう」という判断になる。

片方は功利主義的に判断して、もう片方は義務論的に判断するのは、一体なぜか。それを説明できるものを探ることこそ、一大テーマなんです。

別の言い方をすれば、法的な問題と道徳的な問題というのは基本的に分けなければならない。自動運転の場合は、むしろ法的問題と捉え、法整備をどう敷いて誰がどう責任を負うかという議論に集約していくはずです。そこでみんながどうコンセンサスを取っていくか。自動車メーカーも含めて、どこに責任がどれぐらいあるかという、そんな問題を論じるということです。道徳問題というふうによく言われるんですけども、それは、まったく別次元の問題だということがこの思考実験で見えてきます。

養老 医者の世界でも、そういう問題は昔からありますね。昔、僕が勤めていた東大病院には、当時七台しか人工呼吸器がなかった。全部使っているときに、八人目の患者が運び込まれたらどうするか。それに一般論で答えろといったって、無理な話ですよ。

岡本 ただ、自動運転は技術のみが先行して、基本的な制度だとか、経済的な補償システムだとか、そうしたものをまったく決めないままに来ているので、大丈夫かなとは思います。ですから、この議論は非常にストレートに社会制度の問題だし、法の制度設計は必要になってくるでしょうから、それをどう戦略を取ってやっていくかという、もっとあっさりした議論にさせた方がいいと思うんです。それを「人工知能と倫理」みたいな設定にすると、ややこしくなる。

養老　人工知能の場合は、「倫理」って言葉が成り立たないんじゃないかなあ。だって、ＡＩって、嫌でも物事が進んでいっちゃうっていう世界ですから。

岡本　コンピュータはつべこべ言わないで、機械的に進行していくと。

養老　方針をこうだと決めたら、揺らがずそこを走る。でもまあ、人間の方がコンピュータ的価値観に寄ってきたというか。今の人って、そういう世界観が好きなんですよ。オリンピックだって、「今年みたいに暑いんだったら、夏の開催はやめて、三カ月ずらしましょう」なんて、できないでしょう（笑）。いったん歯車に乗せちゃったら、そのまま動いちゃう。

岡本　むしろ人間の方がコンピュータ型の思考で動いていると。

養老　「今年はなんか調子が悪いからやめようよ」って、そんなことできないでしょ。僕、いつも提案してるんですよ。テレビでニュースがないときは、無理やりニュースなんて作らないで、「今日はニュースがない日だから、雑談に変えましょう」ってやればいいって（笑）。

功利主義、義務論——どちらをAIに搭載するか？

岡本　そもそも倫理は揺らぐもので、バチッと一本で決まらない世界ですから。

養老　倫理って精神論みたいな曖昧《あいまい》な形で持ち出すと、社会が変化したときに整合性が取れなくなる。僕なんか、昭和二〇年八月一五日以前と以降とで、えらい目に遭いましたから。倫理問題ってどうなっちゃったんだよって言いたいよ（笑）。一八〇度違う世界を生きてますから。もう、無茶苦茶です。

岡本　僕から言わせると、そもそも、「トロッコ問題」って倫理の問題じゃないんですよね。例えばですけど、みなさんが「倫理」と思っているようなことは、伝統的に分けると、功利主義と義務論という形に置き換えられる。基本的に、それぞれの原理に応じた形で、多分AIにも搭載することはできると思います。要するに功利主義で言うならば、「犠牲者がいかに少なくなるか」という形で選択するようにさせればいいからですね。

養老　そこは、ドライですね。

岡本　じゃあ、義務論という形でいけばどうするかというと、例えば、自分の行為によって方向を変えるとか、あるいはそこに介入すると、殺人になるという場合。それをしないと犠牲者が多くなるかもしれないけれど、しない行為については責められない。逆に、「人は殺すな」というのが大前提だから。そうした意味で、介入することを基本的には否定するわけです。

現実というのは複雑ですから、まあ、いつでも問題は生じます。倫理の話をしたときに、例えば、功利主義的な原理と義務論の原理があって、これが、ずっと相互に対立していた。トロッコ問題みたいな議論になったときに、当然、両方とも着地点が見られないわけです。そうすると、最近の流行は、基本的には全体的に把握する一つの立場、つまり「徳倫理」といって、アリストテレス以来の倫理の説があるんですけども、この徳倫理で考えたらどうかと。

ただ、徳倫理で考え出すと、その人が全体的な状況からちゃんと知恵に基づいて判断をするといっても、具体的な状況のときにどう判断するかというのは定式化できないわけです。

最近だといくつか流行があって、道徳を判断する際、例えば功利主義的に発想する脳の場所はここだとか、義務論的に発想する脳の場所はここだと言って、脳科学と結びつけるのですが、それをさらに進化論と結びつけて議論します。義務論的な脳っていうと、どっちかというと進化が低い段階で、人間同士の共同体が小さくて、一緒に顔を合わせて判断しなくてはいけないような、そのレベルの話なんだねと。功利主義だと、もっとたくさん人がいて、ドライな関係ができるようなそういう社会だ、みたいな捉え方があるわけですよね。

じゃあ、徳倫理はどうなのか？　脳と結びつける人たちは、「いや、全体的に脳全体で判断する」みたいなことを言うわけですが、「脳全体で判断する」って、結局、どうやって判断するかわからないという結論になるわけですよ。

ですから、「功利主義」「義務論」のうち、どれかの説をＡＩに搭載して使いなさいと指令を与えるのは、まあ、可能なんです。ただ、功利主義的に行くか、義務論的に行くかって、どっちを搭載するか、みんな決めたがらないですね。決めたら、「誰が決めた？」という責任論になりますからね。

養老　行動には、必ず前提なり、意図なりがあるんですね。そこが問題になってくるわけでしょ。それは、今のところ、コンピュータにないわけだから、やっぱり人間が背後にひかえているわけです。結局は、道具としての使い方の問題になるでしょう。

むしろ問題は、ＡＩが出してきた答えが人間には理解できない場合ですよ。「ＡＩはこういう答えを出してます」と。「よくわかんないけど、じゃ、そういうことにしましょうか」

というふうに、人命がかかる問題でできるかどうか。直接は人命がかかっていなくても、ＡＩの導入の結果、現在の格差社会が生じているという意見だってありますからね。大きな目では、やっぱり人の社会に大きな影響を与えてしまう。

病に倒れて「むしろ幸せ」という人間の感性

岡本　ところで、人の幸福を考えたとき、面白い思考実験があるんですよ。ロバート・ノージックが一九七四年に発表した『アナーキー・国家・ユートピア』（木鐸社）でこう述べているんです。

「あなたが望むどんな経験でも与えてくれるような経験機械があると仮定してみよう。脳に電極を取り付けられたまま、あなたはこの機械に一生つながれているだろうか」と。今で言えばＶＲ（ヴァーチャル・リアリティ＝仮想現実）のような、擬似的に幸せになれる刺激をもらえる装置ですよね。そうした仮想空間で味わう擬似的な体験をし続けることは幸福と呼べるのかどうか、という一つの問いかけなんです。基本的に「幸福」というものを考えるときに、伝統的には二つの立場があって。一つは、「客観的」な形で幸福を規定できるという立場。もう一つは、自身の実感として「主観的」に幸福感を味わうという形でしか語れないという立場ですね。

例えば、最近流行ったユヴァル・ノア・ハラリさんの著書『サピエンス全史』の中では、すべての記述が何の説明もなく「幸福感」という文脈で語られているんですよ。最初から「幸福感こそが幸福だ」という感じで、前提を問うていない。だから、幸福感という文脈で言うならば、当然ノージックの経験機械にしろ、VRにしろ、仮想空間の中で自分の人生が過ぎ去れば、それが一番幸福だということがあり得るわけですね。その考えをむげに否定できないのは、例えば同じお金でも、すごくありがたく思う人もいれば、「なんだ、こんなものか」と感じる人も当然いるからです。

例えば、客観的な知識の場面だと、どうしても自分の思いと現実との対比ということが問題になります。ですが、幸福に関しては、現実と自分の感覚を対比しなくても、幸福感なら幸福感だけで、ある程度完結するわけです。なので、客観的な状態ということと切り離して、幸福感を論じるという方向はありますね。

養老　亡くなった免疫学者の多田富雄さんは、生前、脳卒中で延髄のところをやられて倒れられた。唾を飲み込むのも大変だったんですね。口はきけなくなったし、指が一本動くだけなんだけど、それでコンピュータを操作して物を書いたりしていた。

そのときに彼が書いていたけど、「そういう状態になって初めて自分は毎日、生きているっていう実感があった」と。だから、多田さんって、それまでは相当ニヒルに生きていたんだろうなと。僕も多田さんとは大学が同じで、一緒にしょっちゅう酒を飲んでましたから。だいたい、酒の飲み方でその人がどのぐらい満足しているかがわかるからね。僕だって、中年の頃はものすごく飲みましたから。

それまでできたことができなくなるという客観的な事実をもって不幸せと言うのなら、多田さんはそのとき、不幸せになったわけですね。でも多田さんの場合は、卒中で倒れた後、ああいう状態になって、「逆に幸せ」というのが実感なわけで、それはまさしく幸福感ですよね。

ＡＩは幸福を感じるのか

岡本　客観的な事実という点で、本来ならばそれがやれたのにできなくなってしまったということに関して、私たちがそれを「不幸だ」と語るとすれば、ＡＩについても、ある能力を保ったままで機能し続けているから幸福だとか機能を失ったから不幸だとか言うことはできるわけです。論理としてはですね。でも多田さんのように、「変わった現実のなかでも、幸福を感じる」というような文脈で「ＡＩにも幸福が感じられるか？」と問われれば、それはどうでしょうか。

養老　僕が今、虫の観察をしていると幸せだというのは、大学病院に勤めていた頃はできなかったからね。だから、僕の場合は多田さんに近くて、幸福感というよりも、「ああ、今生きてる」という感じがするという方が近い。

岡本　幸福感だと、あくまでもその人の指標だから、それぞれの経験や境遇によって、感じる幸福の度合が違ってくるんですよね。

養老　だから、貧乏人も「ああ僕は幸せ」って言うんですよ。戦後なんか、特にそうでしたね。言ってみりゃ、全員貧乏人ですから。そうするとみんな元気にコミュニティを盛り上げるし。子どもだって、現代に比べればハッピーだった。親が暇なしで子どもをかまってくれないから、かえって伸び伸びしていたという。子どもがあんなに自由だった時代って、日本になかったんじゃないですか。戦後しばらくの間というのは、日本始まって以来の自由だったんじゃないかな。

効率化すると幸福感が下がる？

岡本　最近、ウェルビーイングの研究をされている方の寄稿文を読んだら、「ＧＤＰが右肩上がりだけど、幸福感はずっと横ばいだ」という調査結果が紹介されていて。

養老　一人当たりのＧＤＰと、関連づけられるのが自殺率なんですよね。高くなるほど自殺が増えます。スウェーデンとかって、意外に自殺が多いんですよ。それで、非常に低いのが、例えばエジプトですね。特に理由はわからないんだけど、便利だったり、快適だったりすれば幸福感が上がるっていうものじゃない。逆に、クーラーが効いている部屋から外へ出て「暑い！」って言って戻ってきた方が、「ああ涼しい」ってなるし。

岡本　それは、アリストテレスの概念区分で考えるとわかりやすいかもしれません。例えば京都に行くときに、当然、新幹線で行くとか飛行機で行くとか、テクノロジーを利用すれば速く行ける。そうすると、途中の過程というのはもうゼロにして、省略するのが一番理想の状態ということになるんだけど、過程の景色などは何一つ楽しめないことになる。その点、途中を楽しんでいくというのを、アリストテレスは「エネルゲイア」という言い方をするんです。その途中、途中の行程も楽しみながら旅をしたり、物事を行なっていったりする方が、幸福感は高いと。だから、弥次さん喜多さんの、『東海道中膝栗毛』なんかを読んでいると、休憩所とかで食べている物だって美味しそうだし、おしゃべりもとても楽しそうだし。なのに効率を求めると、ああいう時間が全部すっ飛ばされているということなんだなと。

養老　人生を、経済的、合理的、効率的に生きるっていうなら、「生まれたら、即、死んだらいいだろう」っていうことになりかねない。

幸福論って、哲学者のエピソードがいっぱいありますよね。僕が好きなのはディオゲネスとアレキサンダー大王の逸話です。アレキサンダー大王がやって来て、「お前さん、偉い哲学者だって聞いているけど、望みがあったら何でもかなえてやる」と言ってきた。ディオゲネスはちょうど日向ぼっこしながら昼寝をしていたので、「日陰になるから、向こうへ行ってくれ」って言ったんです。「邪魔だからどいてくれ」って（笑）。

効率的に一生懸命、何かを手に入れようと思うのはいいんですよ。別にそうしたことを非難しているわけじゃないんだけど。でもときどき、「人生って何だ？」って、それこそ哲学者に考えてもらわなきゃね。歳を取ってから、自分で鬱々《うつうつ》と考えていると、「なんで、俺、生きてたんだろう」って陰鬱になりかねないし。

僕なんか、「大学にこれ以上いたら、もうやってられないよ」って辞めて、今は虫なんかを捕ってりゃいい。何のために生まれたかなんて、わかんねえわって。今、定年後の人が読むような本がすごく売れているみたいですけど、「何のために生まれた？」という問いへの一番意地の悪い返事は、「コンピュータに相談しろ」っていう（笑）。

「アートがわかるＡＩ」は存在可能か

岡本　幸福の話が出ましたので、今度は芸術について、少し話をさせてください。芸術に関しては、基本的に「ＡＩは芸術を理解できない」と一般的に言われています。ですが私としては、そうした通説に対して、一つのアンチテーゼとしての考え方を出そうと思って本を書きました。さらに、独創性ですら「演出」できるとすれば、「人間が理解している芸術とは何か」という理解もないといけない。もともと、芸術を評価するときの評価軸は、人間が評価する場合であってもはっきりしていないわけですよね。「評価軸そのものは一体何なのか」というときに、専門家の考え方さえ、根拠ははっきりしていないと。それなのに当然のように、様々な形で芸術作品が賞をとる、とらないというような判断はなされている。今、私たちが普段行なっている評価が明示化できるかは置いておいて、「ＡＩにも基本的には芸術を理解できる」という設定をまずしてみたということなんです。私たち人間が芸術を評価できるのか、あるいは、そもそもどれくらいの人が評価できるかということです。ただ、正直なところはちょっと怪しいと思っているんですけども。こんなふうなことを書いて、逆に反論が来るのを待っている部分があるんです。そうすると、「いや、ＡＩにはアートなんてわかりっこない。人間だけがわかるんだ」と言われるかもしれないのですが、そういったときに、「では、人間がやっている『芸術への評価』とは何なのか」とか、あるいは、「独創性とは何か」という形で、説明してもらいたいなと。

独創性にはおそらく二種類あって、一つは模倣。もう一つはゼロからの創造です。模倣したものの組み合わせを変えるということを独創性だと言えば、それはそんなに難しい話じゃない。それなら、ＡＩにもできる。だから、独創性と言ったときに、「一体それは何か」ということころの説明がうまくできているかどうかということですね。逆に言うと、そもそも私たちは芸術をどうやって評価し、どうやって作品を作っているのか。それを明らかにするということも、ＡＩを持ち込んだときに問題になってくる。とどのつまり、「人間にしかできないことは？」と認識し直すために、問いを作った感じですね。

養老　僕はね、「芸術とは心地よさだ」と定義したときに、いろんな物差しで測って安定しているということが、一つの評価軸としてあると思うんですね。多次元空間の中で「安定平衡点」っていうんです。これ、要するに普通の平面で考えたら、すごく窪《くぼ》んでいるということですよね。そこに落ちるとしばらくじっとしていられて楽だよ、という。ちょっとエネルギーを加えて持ち上げてやれば、またコロコロッと球が転がる。すると、また別なところへ落ちると。深ければ深いほどそこに溜まって動かないわけですから、生き物って、本能的にはそういう状況って気持ちがいいでしょう？　コンピュータはそういうことは計算できるはずですね。多次元空間というのを、人間よりよっぽどちゃんと計算してくれると思うから。それを評価と取るのなら、ＡＩもアートができるとか、わかるということになるでしょうね。

あと、もう一つ別の軸としては、個々の人たちの感受性と言っているものが、アートを受け取るときの物差しになりますね。当然、そうした数多の感受性も含めて計算して、ということになるでしょう。

岡本　感受性というのは、定義次第で計算可能でしょうね。

養老　物差しを、一〇〇単位に取るか、一〇単位に取るか、一単位に取るかで、ＡＩというのはずいぶん様相が違ってくるでしょう。そうすると、「違いのわかるＡＩ」は差別化されるのか（笑）。

岡本　だから、そうした意味で、そもそも私たちが一体何をもって芸術的に評価しているかに迫りたいんです。例えば、もう今は「芸術は美しいものを表現する」という発想ですらなくなっていますから。そうすると、芸術とは一体何なのかということ自体が、自明ではなくなっている。

養老　素朴に、「ナイーヴ・アート」と呼ばれているものを考えればいいんじゃないですかね。ナイーヴ・アートって、漫画に近いような、子どもが描くような絵ですよ。僕なんか、虫ばっかり捕っていて感性が子どもに近いので、子どもの描いた絵って、感心しますよね。「いや、いいなあ」と思いますよ。この前、自由学園へ行ったら、そこの生徒たちが描いた絵が壁にたくさん貼られていたの。「ああ、いいなあ」と思った作品を指差して、「これ、くれたらいいなあ」と思ったぐらいですよ。それは素直に見ているから感動できる。それが、アートの評価ってなったときに、どんどんどんどん、こう、見る側の目がね、肥えると同時にやかましくなってきて、「いいの悪いの」を言うようになる。私、そんなレベルじゃありませんから、子どもの目ぐらいでちょうどいいので。

でもね、ナイーヴ・アートの世界も、結構面白いですよ。ほら、有名な話があるでしょ？ナディアという自閉症の子が、レオナルド・ダ・ヴィンチと同じような馬のデッサンを描いた。一生懸命周りが教育しても、初めは言葉が出なかったんですけど、言葉をしゃべれるようにしてやったら、絵の才能がなくなってしまった。ああいう特殊な才能だけを取り上げていけばね、凄いところまで極めることができるんだなと。

知能には三つの種類がある

岡本　結局、ＡＩという人間の外の視点を持つと、より客観的に人間のことがよくわかる、ということは言えると思うんです。ＡＩを通して、人間が一体何をやっているのかを明確にするために「それだったらＡＩでもできるんじゃないか？」と問うてみる。あえて反論できるとすれば、それはどこなのかと糸口を見つけていく。
「人工知能」ということを掘り下げていくと、そもそも、「知能って何ですか？」という問いが浮かんでくる。人間にとっての知能ですらも、ちゃんと定義できるかどうか。「知能をどう定義するか」ということと同時に、「人工知能の知能はどう定義するか」という点にも関わってきますよね。

養老　僕はいつも虫の目線だから、おのずと人間の外の視点を持っている。虫を一生懸命見ていると、ひとりでに人間ってものも、どんな生き物なのか見えてくるという（笑）。別にそれを見ようと思っているわけじゃないんですよ。直視しないで、「周辺視野」で視るというぐらいでちょうどいい。

前に北海道へ虫を捕りに行って、現地のガイド役の人に「ここに行けば、あの虫がいる」と教わったんですよ。それで、捕る際のアドバイスをもらった。「決して、虫を見ちゃダメですよ」って。虫と目が合ったら逃げるからって（笑）。プロだからわかっているんだね。ほら、鳥を追い出すときに、目玉の形ってんで、CDディスクを吊すでしょ？　虫は目玉を剝き出しで寝てるから、まっすぐに目玉を見ると、あいつらにとって具合が悪いんだよね、きっと。だから「見ないふり」して、周辺視野で捕まえる。ガイドの人、面白いんだよ。真面目な顔をして言ってるんだもの、「見ちゃダメですよ。目が合ったら終わりだ」って。

郡司くん（郡司ペギオ幸夫）という理学者がいてね、知能には三つあると言うんだ。「人工知能」と「自然知能」と「天然知能」の三つ。それで、『天然知能』（講談社選書メチエ）という本を書いている。「今こそ天然知能を解放しよう！」と言っている。人工知能の対比としての人間の知能なんかを、「自然知能」と言うのはわかる。で、天然知能とは何かというと、一言でいうのは難しい（笑）。郡司くんは、「外部を招喚する」という言い方をするんだけど、要するに話の筋から外れたもの、「文脈」と彼は表現するんだけど、そういう文脈から外れた「徹底した外部」をそのまま受け止めていくっていう。その「外部」にあたる知能が「天然知能」ですね。郡司くんは、「考えるな、感じろ！」というブルース・リーの言葉を引いている。「人工知能と対立するんじゃなくて、想像もつかない『外部』と邂逅《かいこう》しよう」と、言っていますね。

そういう意味で、虫は「天然知能」ですから、感じることだらけですよ。存在自体が本当に不思議なんですよね。「何を考えてるんだろう、こいつら」って、見ていて飽きない。

あと、郡司くんは、「世界は天然知能」とも言っている。これは意識の起源とも関係があって、意識の起源というのは、実はよくわからない。ただ、一種の汎神論《はんしんろん》のように、世界にもともと内在されているという考え方があります。それ、いろんな形で出るんですよね。人間が人工知能を作るということ自体が、天然知能です。「そんなもんまで作りやがって」と言っても、人間はまっしぐらにそういうものを作っちゃうんだから、しょうがねえだろうって。世界はひとりでに人を生み出し、人の意識を生み出し、それがコンピュータを生み出している。その一連の流れというのが天然知能の賜物《たまもの》なんだと。

岡本　遠望する視点ですね。

養老　まあ、ここまで世界がややこしくなってくると、そういう少し遠目で見る考え方が出てくるんじゃないですかね。科学が行き詰まっちゃいましたから。前世紀の終わりに出版された『科学の終焉《おわり》』（ジョン・ホーガン著・徳間文庫）という本があってね。アメリカ人の科学ジャーナリストが、二十何人のノーベル賞クラスの自然科学者にインタビューして、「科学はすべてを解明すると思いますか」と聞いた。九割九分が「解明するわけがないだろう」と答えていました。そうすると、もう少し別な考え方を取るしかないな、と。

哲学も、科学と密接に関係してきますよね。哲学者で意識の研究をしている人もいるものね。実験室に入って「私」というものを研究している人。あれは、意外に面白かった。彼は「自分なんて空っぽのトンネルだ」って言って。

岡本　メッツィンガーですね。問題となるのは、その空っぽの「トンネル」をどう理解するかということですね。

養老　僕は、その空っぽを肯定的に捉えて、「ナビの矢印だよ」って言うんです。ナビって矢印がないと使えないんだよと。地図上の現在位置を示す矢印です。じゃ、矢印の中に何かがあるかといったら、ないんですよ。でも、矢印があればいいんです。矢印があれば、役に立つでしょ？　自分がどこにいるかがわかるんです。矢印がないとわからない。矢印の中に何があるのかと、一生懸命考えても、何もないんだ。僕はそう思っていたから、メッツィンガーが言う「トンネルだ」というのが、よくわかりましたよ。

岡本　ナビの矢印ですね。とても面白いです。メッツィンガーだけを読んでいても、思いつきませんでした（笑）。

養老　現在地の矢印、大事ですよ。だって、昔困ったことがあるんだもの。田舎へ虫を捕りに行くでしょう。すると、田舎にね、ちゃんと絵図があったんですよ。今みたいにグーグルマップがない時代だから。その絵図には山が描いてあって、村役場が描いてある。だけどね、肝心な看板の位置、つまり現在地が書いてないの。だから、アウトなんです。「それで、一体俺は、どこにいるんだよ！」って。

日本人のマインドとロボットとの関係

養老　AIという「外部」の受け止め方は、西洋と東洋では異なるんだと思いますね。そもそもヨーロッパ人は、日本人よりはるかに人間中心主義でしたから。日本人はそうじゃなくて、そもそも共生が前提の社会ですから、案外大らかですよ。なんと言っても、「一寸《いっすん》の虫にも五分《ごぶ》の魂」ですからね。

岡本　人型のロボットなんかも、人気が高いですしね。

養老　日本だと意外に抵抗がない。ロボットって、欧米では抵抗があるんですよね。

岡本　AIへの脅威論そのものは、わりとヨーロッパ人の受け止め方に多いという印象ですね。日本人は、わりとAIにしてもロボットにしても、抵抗感なく受け入れている。

養老　知能をどう考えるかという問いに関しては、さっき話した郡司くんの「天然知能」が、先駆け的に面白い考え方ではある。それこそ、哲学の得意とする、「前提」を遡っていけば、知能とは何だという話になっていく。そういう知能それ自体が、宇宙に備え付けてあって欲しいんだけどな。極端に言えば、そういう壮大な話にもなってくる。僕らは大いなる宇宙の動きに沿っているという捉え方で。大げさに言うと、宇宙そのもののルールでしょう？

岡本　ええ。そうですね。

養老　その動きに沿うというのが、「自《おの》ずから」というやつですね。だけど、人間はどこかで、「自ずから」という価値観に「自《みずか》ら」が入ってくるわけです、「私がやる」ってやつ。だから僕は、「１・５人称」ぐらいの視点でいくといいと言っている。

みんな子どものときは「自ずから」の世界で育ってきたわけでしょう？　でも、どこかで、「自ら」になったわけで。誰しもどこかで転換が起こっているんです。

岡本　いつから変わっていくのか、興味深いですね。

養老　とはいえ、日本人は文化的にも「自ずから」を尊《たっと》ぶ。『古事記』『日本書紀』で一番使われているのは、「なる」という言葉なんだから。「自ずから、なる」。ひとりでにそうなる。それに対して、欧米人は、あらゆることは「俺がやる」というところがある。何にでも「私」が出てきて。トランプ大統領なんか、その典型だよ。

哲学では、どうなってるんですか？　そういう、「自ずから、なる」とか、「なるべくしてなる」という思想については。それを突き詰めると、あんまり論文を書けなくなっちゃう懸念はあるんですけどね。

岡本　そうですね、まあ、全面的に「世界とは、自ずからなるものなんだ」と思うと、自己の考えを出しにくいですから、論文は書きにくいですね（笑）。

養老　当然、主観主義だとか、そうしたものを否定していくという形ですからね。まあ、「自ずから、なる」というのは、要するに客観主義に徹するというわけですね。僕、実はその難しさを大学院生のときに味わっている。みんなが学位論文を書いているときに、しみじみ感じたんですよ。僕は、発生をテーマにしていたんですけど、発生って、放っておきゃ親が交配して、受精卵がありゃ子ができちゃう。それを、なんで俺が理屈にして論文にせにゃならんのかって自問してしまって。子どもができるのはなぜか、なんて前提を問うまでもなく、「子ができるのは、おかしくも何ともねえんだよ」って。「俺、何やってるんだ?」って。「なるべくしてなる」って考え出すと、仕事の邪魔になるんですよ。哲学もそうじゃないですかね?

岡本　それを考え始めると、哲学はできないですね。基本的にもう、普通の前提を崩す、そこからしか出発しない学問ですからね。あえて「これはおかしい」「違う」って考えていないと始まらない。

同一性をどう定義するか

養老　そうなんだよ。ただ、今僕は『正統と異端』（堀米庸三著・中公文庫）という本を読んでいて、副題が「ヨーロッパ精神の底流」というんですけど。正統というものは「自己隠蔽《いんぺい》性」を持っていて、気がつかないと。それはもう、本当にそうだなと思って。日本人の考え方がそうですよね。実はきちんと記述できていない。なぜかというと、それは正統だから。いわゆる「世間」というやつですけどね。正統って、意識化された途端に、自己の方もちょっと変わってきちゃうのね。

岡本　なるほど。

養老　だからこそ、逆に日本の哲学って、なんか面白いんじゃないかなと思うんですけど。

岡本　主観、客観……もう、そういうのも未分化な状態みたいな形で。それをどうやって言語化するかというのは、非常に難しいと思いますね。

養老　そういう未分化な「己」を突き詰めていくと、西田幾多郎の言う「絶対矛盾的自己同一」ってやつに突き当たる。これについては、一時、わかったような気がしたんです。だって自己同一性ってめちゃめちゃだなって。僕は、自分のお宮参りの写真を持っていますから。「これ、俺かよ」って（笑）。これが自分だ、というのは、絶対矛盾の自己同一だよなと。今、哲学ではそうした「人がどんどん変わっていく」ということをどう考えているんでしょう？

岡本 当然、同一性をどうやって理解するかというのは、非常に大きい問題で。連続性を「同一性」という形で定義する形ですね。それを全部、時間の幅を取って、それで同一性を主張するというのは、非常に難しいということになりますね。

養老 そんなこと言ったらね、進化なんて、原生動物から僕まで生き物は全部同じだって話になりますよ。実際、そうだからいいんですけど。ミトコンドリアはね、我々に棲《す》み着いちゃった原核生物ですからね。時間的同一性っていうんですね。これがまたね、具体的になると面倒くさいんですよ。二億年前の牡蠣《かき》の化石が出るでしょう？　それを見せられても、今の牡蠣と比べて区別がつかないんですよ。だけど、専門家に言わせると、ちゃんと違う名前がついているんです。なぜ違う名前をつけたのかというと、「二億年経ったから、別の種類に違いない」って（笑）。それが理屈です。だから、実際に何も予備知識なしに、殻を二つ出されたら、お手上げですよ。人間とは、そういうものなんだというのが私の結論です。

己《おのれ》、私の主張で、「二億年経ったら、違うだろう」って決めつけられるのが人間なんだから。

そして人間は、怠けられなくなった

岡本　機械が人間を超えて、人間の存在を脅かすかもしれないという不安は、いつの時代にもあります。「では、ＡＩと人間の未来は？」と考える前に、私はやはりもう一度あらためて、人間理解がしたいなと思っています。

もともと近代社会は、わりと個人の自立性や、自由、自己意識といったものを中心にしてここまで来たわけですが、それに対する反省点も、二十世紀の後半ぐらいからたくさん出てきた。多分、哲学なんかで新しい動きが出てきたのは、一つは人間の遺伝子の組み換えなどを契機に、ポストヒューマンということが言われ始めた背景もある。あるいは、知能というのも、人間のみのものだと思われていたのが、機械での代替が可能だ、と。そういう動きが出てきたときに、「人間とは一体何なのか」と、相対化される形で思想が生まれてきたのではないかと思うんです。

外から見て「人間とは、こんなものだ」ということが、あらためて客観的な形で相対化され始めると、今後は技術のレベルと人間の状況はリンクしていって、人間のあり方が変わっていくと思うんです。今までの「人間が中心ですべてを作ってきた」という思想は、多分変わり始めるだろうと思っています。

養老　首《こうべ》を垂れるってやつですね。

岡本　はい。そうした意味で、ＡＩというのは人間そのものを相対化するという、視点をずらす役割としては、非常に重要だなと私は思っています。ただ、それがテクノロジーとしてどこまで力を持ち得るか、人間にとっていい形で作用していけるかというのは、短期的な時間軸で見てもしょうがない。今後の時間幅をどこに置くかという点が大事で。私はまあ、二〇四五年とか、そのくらいのスパンでは、ガラリと何かが変わるほどの大きな変化にはならないと思っています。

養老　ＡＩが登場したことで、人間にいい影響も悪い影響も、どちらもあると思いますね。ただ、結果として、人の方が大変になっちゃった。怠けてられないでしょう？　コンピュータがダウンしたからって、銀行が動かなくなっちゃったりですね。パソコン一つだって、エラーを起こしたりする。ソフトにバグが入る。ＡＩだって、「なんでこんなことになったんだ？」という細々としたエラーはあるだろうから、人間は監視もしていかなければならない。それがブラックボックスだったりして、検証一つでも、ウンウン唸《うな》ることになる。
　僕なんかは、「自動運転なんか、知ったことか」と思っていますけどね。だって、運転免許も持ってないいんだからさ（笑）。もう、ＡＩなんて面倒くせえと思ったら、コンピュータのコンセントを抜きゃいいんだって。

岡本　そうすると、「自分でコンセントを入れるコンピュータを売ります」とかって、メーカーはあの手、この手で手を打ってくる。

養老　こっちから言わせりゃ、「そんなもの、作るな」っていうことです（笑）。

岡本　一番脅威なのは、人間抜きでＡＩ側だけで全部閉じちゃうパターン。電源まで含めて自立的にシェアし合える世界になってしまえば……。

養老　そうすると、「俺とは関係ねえな」って世界に行っちゃう。だとすれば、そんなもの、なんでエネルギーをかけてまで作らなきゃならねえんだ？　ということになる。そこは人間がちゃんと、作る段階から先を見越して常に目的に立ち返らないとね。

第4章　わからないことを面白がれるのが人間の脳

新井紀子×養老孟司

新井紀子《あらいのりこ》

国立情報学研究所教授、同社会共有知研究センター長。一般社団法人「教育のための科学研究所」代表理事・所長。一橋大学法学部およびイリノイ大学数学科卒業、イリノイ大学5年一貫制大学院を経て、東京工業大学より博士（理学）を取得。数学者。2011年より人工知能プロジェクト「ロボットは東大に入れるか」プロジェクトディレクターを務める。16年より読解力を診断する「リーディングスキルテスト」の研究開発を主導。

ＡＩに負ける子どもたち

養老　今日は、若い方にお話を伺いたいと思ってやってきました。

新井　私の方こそ、いろいろ教えていただきたいと楽しみにしてまいりました。私は以前から勝手に先生とのご縁を感じておりました。先生が理論社の「よりみちパン！セ」シリーズで『バカなおとなにならない脳』を出版されたのと同じ時期（二〇〇五年）に、私も同じシリーズで『ハッピーになれる算数』を出版したんです。そのとき、先生の本も読ませていただいて、もちろん『バカの壁』（新潮新書）も拝読しました。

養老　新井さんが書かれた『ＡＩ vs. 教科書が読めない子どもたち』（東洋経済新報社）を読んで面白いと思ってね。僕はだいぶ前から、読むだけで子どもを教育してみたらどうなのかなって思っていたんですよ。それで、子どもの読解力を調べている人のお話を聞きたいなと。

　最近、書評を頼まれて『デジタル・ポピュリズム』（福田直子著、集英社新書）を読んだんですけど、ちょっと驚きました。例えば、僕なんかトランプ現象とかイギリスのＥＵ離脱は政治の文脈で理解してたんです。でも、福田さんの本を読むと、あれは実はネット（の強い影響）だったんだということを丁寧に説明しています。それで、やっぱりそうか、違う力学があるんだな、と。つまり、読解力のことです。

新井　私もそう思います。

養老　アメリカの大統領選やイギリスの国民投票のときも、確かメディアはそういうことに触れていた記憶はなんとなくあるんですけど、それが、はっきりと具体的に状況を変えてしまったという指摘には驚きがありました。今の子どもたちは、そういうネットワーク社会というかデジタル社会で育っているわけですから、これからどうなるのかなと。

読解力とつながるかわかりませんが、僕らの世代は懐疑派なんです。小学校二年生のときに終戦で、その段階で教科書が墨塗りですから。自然とそうなっていたんです。教科書が信用できないのですから、書いてあるものなんか信用しないというのが大前提になっちゃったんですよ。

だから、解剖とか虫捕りばかりということになったわけです。ああいうものは嘘をつかないんですよ。虫にだまされることはありますけど、だまされる方が悪いんだし、死んだ人は人をだますことはありません。ところが、生きている人間というのは危ないんだと、子どもの頃から身に染みてたんです。

新井　人々が現実の世界に失望し、バーチャルな世界で自己実現したいという欲求が高まっている。それをポピュリズムはうまく利用しています。現実の世界は厳しいけれど、ネットで悪口を書いて相手が炎上したら勝ったような気分になれて、ますますやめられなくなる。現実ではない別の世界で活動している人が増えています。

ＳＮＳの世界にはそういう人が二割とか三割はいるのではないでしょうか。残りは多数派なのに黙り込み、あるいは影響を受けてしまう。ＳＮＳには、現実世界では実は少数派なのに、失うものがないような人の先鋭的な言説が増幅する傾向があるんです。例えば、養老先生に面と向かって「教養ないね」なんて言える人は現実の世界にはいないし、いるとしたら頭がおかしいでしょう。けれども、ＳＮＳではそういうことがしょっちゅう起こるわけです。誰なのかわからない相手から突然悪意を向けられたり、嘲笑されたりする。まともな人間は、そういう状況に耐えられないですから、口をつぐんでしまうか、病んでしまう。パチンコ屋さんの大音響と同じですよね。あまりに騒がしい中にいると判断力が停止してしまう。それがポピュリズムの力の源泉になっているような気がします。それをリアルな政治が利用したのが、トランプ現象や今の日本の政治だと思っています。

養老　それは、僕がずいぶん前から、いろんな言葉で言ってきたことと同じですね。脳化社会ですよ。脳が動かす。「リアルな社会」と言われましたけど、僕は、現実と思われている社会も、もともとバーチャルに近いと思っています。これが常識だとか、今までこうだったからそれでいいんだとか、そういうことは実は当てになりませんね。バーチャルだからです。

教科書の墨塗りを経験した世代からすると、昨日まで「本土決戦一億玉砕」だったのが、今日は「謹んでマッカーサー元帥《げんすい》の万歳を三唱」になっちゃうわけです。だから、社会はもともと不安定だったはずです。逆に言うと、インターネットで（人々の欲求が丸裸になったことで）社会がリアル（本当の姿）に近づいたんですよ。自己愛とか承認欲求とか競争心とか、そういうものは教育とか倫理とか、いろんなもので縛ってきたわけで、ネットでそのタガが外れたということでしょう。

新井　なるほど。

ポピュリズムに利用されるインターネット

養老　バーチャルと言われている世界で、人間の本音、本性が出てきた。自己愛とか承認欲求ですね。例えば、最近「不安」を口にする人が多くなっている気がします。行政とか企業とかが何かをしたりしなかったりするときに、「それでは不安です」と言う。それをSNSに書いたりする。不安のない状態でいる権利があると考えている人が多い。自分に不安があるのは、相手が対策を間違っているからだって。

ところが、ごく素直に考えると、不安を感じない人というのは恐ろしいですよ。よく言うんですけど、「不安のない人とは一緒にラオスのジャングルに虫捕りには行けないよ」って。だって、何するかわかったもんじゃないから。だから、今の社会は、ジャングルに虫捕りに行くような生活をしている人間から見ると、非常識としか思えないことが、まかり通っているように見えます。

自己愛とか承認欲求とか、そのような人間の本音は、地域コミュニティとか教育によってできるだけ統制することで社会は安定してきたんだと思うんですね。それが、ネット社会になって機能しなくなっているんでしょう。

こういう（デジタルネットワークの）時代になってみると、でたらめでも嘘でも、何でも流せますね。トランプの好きなフェイクニュースとかね。それをたくさんの人が読んでいるわけです。ナチと同じですね。宣伝相のヨーゼフ・ゲッベルスは「大きな嘘を頻繁《ひんぱん》に繰り返せば、人々は最後にはそれを信じる」と言ったそうです。そういう時代が本当に来たんだなと。

新井　ご指摘されたことは、デジタルネットワーク時代の民主主義にとって重要なことだと思います。つい一〇年前には、インターネットは民主主義に寄与すると非常にポジティブに捉えられていました。オバマが当選したときがそうでした。ロビイストたちがおカネで動かしてきた政治を、リベラルな草の根運動がインターネットを武器に、ひっくり返したのだと。ところが、たった八年で状況はまったく変わってしまいました。インターネットはポピュリズムにうまく利用されています。

発信のサイドから見ると、今は八〇％ぐらいの人がインターネットを使って発信している状況だと思います。発信する人の数によって、インターネットの性質はまったく違ってきます。一％未満の人だけが発信していたときには、少数の人がホームページを持っていて、その情報をみんなが分散型で共有し信頼するというシステムが機能していました。ところが、八〇％の人が発信者側に回ったときには、嘘だらけになってしまいました。

多くの人が発信者の側に回れるようになったのは、ＳＮＳのおかげですけれど、これは心理学の知識に基づいてうまく設計されていると思います。他者からの承認欲求や、他者と競い合いたい欲求、自己実現欲、自己愛といった人間の心理をうまく利用して、人々をＳＮＳから抜けられなくさせるようにできています。そうすると、グーグルやフェイスブックのような巨大ＩＴ企業が儲かる仕組みになっているんです。ＳＮＳを使っている人はその世界にがんじがらめになっています。朝から晩までＳＮＳです。

情報統制の視点は社会を考えるときに大事だと思うんです。イスラム原理主義の人たちや中国の役人なんかは、民主主義の国はうまくいっていないと思っているはずです。中国なんか、うちの方がうまくいっていると胸を張ると思います。それは、情報を統制しているからだって。

私は、民主主義を信じたいと思っています。一人一票です。でも、それには一票を持った人にリテラシーがあるのが前提条件だと思います。リテラシーがない人から選挙権を奪おうとは思いませんけどね。

確かに、リテラシーの問題でうまくいってないところもありますが、でも、だからといって、民主主義って駄目だねとか、国民国家じゃうまくいかないね、ということにして情報統制をしてしまうには惜しいシステムだと思います。

養老　僕も、いわゆる民主主義というのが消えるとは思っていません。ただ、民主主義は非常に曖昧です。リテラシーについておっしゃいましたが、それ、詰めていくと、プラトンの政治世界なんですよ。わかる人がやればいいっていう。僕も、本音は同じようなものです。

もともと男性社会はバーチャルな脳化社会

養老　新井さんもそうですけど、福田（直子）さんとか、最近、女性の論客が多いですね。

新井　落としどころを探るというのが、女性の共通の傾向かもしれませんね。結婚して子どもを育てていると、原理主義では生活が成り立ちませんから。まあまあ、この辺で、みたいな感じになります。そうじゃないと、何回離婚すれば済むんですかという話になってしまいます。ある意味で理不尽にさらされた生活者である女性の知恵ですかね。

養老　というより、男の世界が変だということじゃないですか。

新井　私には男性が作ってきた社会の中で生きさせられている感じがすごくあります。例えば、男性社会では肩書が大事ですよね。だから、私も仕方なく「数学者」と書くわけですけど、自分を「数学者」だとはそんなに認識してないんです。ただ、やりたいことをやってきただけです。それを男性が決めた枠にはめると「数学者」だったり、次は「ＡＩ研究者」になったり。それで、何をしている人かわからないって。

養老　僕も同じです。「解剖学者」という肩書は読売新聞が勝手につけたんですよ。便利だから使っていますけど、そういうのは周りの人がつけるもので、自分とは関係ないと思っています。これは男女の問題じゃなくて、多分、日本社会の問題ですね。

新井　でも、社会を作ってきたのも、枠を作ってその中で競争したいのも男性ですよね。どうして競争して一等賞を決めたいのか、全然理解できません。

養老　その点、僕は女性寄りですね。競争には興味ありません。

新井　テレビ番組を作っている人は視聴率を異様に気にしますよね。実業家は売上と利益、学者の世界だと論文誌に論文が何本とか賞をとったとか学会の長になったとか。自分で納得ができる仕事ができただけでは満足できなくて、数字とか肩書とか、はっきりした基準で評価されないと安心できないのでしょうか。

養老　そういう世界はやはりバーチャルなんでしょうね。

新井　バーチャルなんですか。

養老　バーチャルが現実になってるんです。だから、僕は「それ、脳みそでしょ」って思ったんです。先ほど「心理学」と言われましたけど、まさにそういうことで、そういうのはすべて脳という世界の中で動いているんです。人の生活の中で脳の中の部分が肥大した社会を、僕は「脳化社会」とか「都市社会」と言ってきました。都市はバーチャルです。例えば、東京は孤立したらすぐに食べていけなくなります。孤立したらすぐに消えてしまいます。そんなところに住んでいる人が一番偉くてまともだと思っているんだから、バーチャルでしょう。そういう人たちが世界を動かしたら、世界が歪《ゆが》みます。

新井　そう思います。リアルというのは、私がいて、誰かと実際に会って話すということだと思います。だからテキストというのはバーチャルだと思っています。

著書を出版してきた私が言うのは変ですけど、本来、コミュニケーションというのは、もっとホリスティック（全体性）だと思います。何も書き残さなかったソクラテスはそのことを知っていたのでしょう。一期一会で、養老先生と私がここにいて、それぞれの人生を背負って会話をする。

対談内容を本にしていただくのに、そういうことを言うとおかしいかもしれませんが、文字にして表現できることは一割もないと思うんです。読む側が受け取るのは、表現されたことのうちの一割程度かもしれません。すると、伝わるのは一％未満ということになってしまいます。ソクラテスはそのことを言ったのだと思います。文字で表現すれば同じことでも、いつ、どこで、どのような相手に向かって言ったかによって、まったく違うことになることもあります。テキストが独立して状況から離れてしまったら、そのコミュニケーションは成立しないんだと。

でも、プラトンは、「先生、それ、もったいないですから、テキストにしましょう」って言ったんですね、きっと。

養老　その通り。そのプラトンが示した方向に突き進んだ結果、ＡＩになっているんです。

新井　本当にそうですね。

「宙に浮いた」デジタル社会がポピュリズムを加速させる

養老　虫捕りもそうですが、解剖の世界はこれ以上ないというくらい、地面に張り付いた世界です。その点、インターネットとかＡＩとか、デジタル世界が幅を利かせている社会は、なんだか宙に浮いてきたなという感じがしています。地面に張り付いた世界から見ていると、みなさん上空を飛んでいる。あまり、健康的ではないと思います。まあ、それはそれでいいんです。ですが、ときどき糸が切れてしまうみたいなことがありますね。

新井　それが、ポピュリズムに利用されているのではないでしょうか。先ほどSNSの登場で、インターネット社会で八割の人が発信する側に回るという状況ができて、ネット社会の信頼性が損なわれたというお話をしました。ネット社会の一部は悪意や憎悪とフェイクニュースに席巻《せっけん》されて、嘘だらけの世界になっていて、それが、ポピュリズムに利用されているという話です。

前に読売新聞に書いたことがあるんですけれども、ポピュリズムが始まったのは、小泉政権のときだったと私は思っているのです。「自衛隊がいるところが非戦闘地域だ」という国会答弁です。左派の方々は「論理が崩壊している」と批判しましたが、私は違うと思いました。

小泉さんは国民の「論理で考える力」が相当崩壊していることを見抜いた。日本人のリテラシーが下がっていることを見越しての発言なんだと思ったんです。昨今の政治状況を見ていると、国民はあのときよりもっと見くびられているんじゃないでしょうか。自衛隊の日報問題や財務省の公文書改ざんの問題でも、何を言っても安倍政権の支持率が下がらなかったのを見ていると、そう思ってしまいます。

先日、小学校四年生の算数の授業を見てきました。面白かったのは「いろんな二等辺三角形を描いてみましょう」という出題です。一人の女の子が正三角形を描きました。算数が苦手そうなお子さんでした。本人もよくわからなくて描いたのだと思います。隣の子に「それ違う」と言われて、すぐに消そうとしたんです。私はそばにいって、こっそり「これは消さないでおこう。おばちゃんを信じて、このまま出しちゃおう」と言いました。

先生がそれを授業で取り上げて、「これはどうですか？」って児童に質問すると、三五人いた児童のうち三四人が「間違いです」と言い張りました。でも、もちろん、正三角形も二等辺三角形です。三五人のうち、普段は「違うよ」と言われていた女の子一人が正解者だったんです。先生はそれを説明されました。

こういう体験を積み重ねることが民主主義だと私は思っています。三五人のうち三四人が違うと言っても、正しいことは正しいと言って前に進むのが民主主義だと。そのとき、議論するのに大切なのが言葉の安定性とリテラシーです。それがなくなると、「自衛隊は戦闘地域には派遣しない。だから、自衛隊を派遣しているところで戦闘があってもそれは非戦闘地域だ」という論理的に破綻した「へ理屈」がまかり通ることになってしまいます。

大平内閣や宮澤内閣だったら絶対にそれは言えなかったと思います。そういうへ理屈を思いつかないのではなくて、理性がストップをかけるから言えない。小泉さんはそれを言っちゃった。それが、ポピュリズムの出発点だったと思います。

養老　9・11（アメリカ同時多発テロ）のとき、アメリカはブッシュ政権でした。ご存じのように、あの政権は目的が正しければ嘘をついても構わないという意見の人たちが多数を占めていました。いわゆるネオコンですね。イラク戦争は大統領就任のときからの既定路線だったと、あるアメリカ人が書いています。そんなふうに、政治の具体的な目標がはっきりすれば、今はいろんな手が使えます。

それがネットワーク社会の成熟やＡＩの登場で、さらに見えにくくなっていると思います。

新井　それは政治のレベルだけではなくて、身近なレベルでも、ものすごく起こっています。例えば、よく知られていることですけど、アメリカでは顔写真から性的指向を当てるというようなかなり乱暴な研究が行なわれています。あるいは、実刑か執行猶予かの判断もＡＩが再犯率を顔で判断します。でも、顔で再犯率を決めるっておかしいですよね。

統計の嘘とＡＩの限界

養老　同じようなことは、実は医療の世界では、ずっと昔からあります。統計の話です。小《こ》咄《ばなし》まであります。難病に罹《かか》った患者に医者が言うんです。「この病気の致死率は九九％です。一〇〇人いたら九九人は死にます」ってね。患者は真っ青です。そこで、医者は「でも、あなたは助かります」と言ってニコリとします。「どうしてですか？」「私がこの病気を治療した患者さんはこれまで九九人いました。その全員が亡くなりました。一〇〇人のうち一人は助かります。それがあなたです」。

新井　ＡＩの一番の問題はすべてデータに基づいて予想したり判断したりしていることです。しかもそれを積み重ねていきます。データというのはすべて過去のことです。今いる人間についてのことを過去のデータで判断するってことは、昔も今も人間は変わらない、時間の経過があっても人間は変わらないという前提がないと無理なんです。でも、そんなことありませんよね。

養老　そうです。そうなんです。

新井　偏差値教育がいけないのも同じです。全国学力テストを毎年決まった時期にやっているのはどう考えても変です。そんなことをしたら、そのために勉強しますから競争になって、本当の学力を測定することなんてできません。統計のイロハのイです。学力はちょっと勉強すればぐんと上がりますよね。普段、あまり勉強をしていない子ほど上がります。

人間や社会は変わるものなのに、世の中は変わらないという前提で統計というものが幅を利かせていて、それがAIが学習するデータになっているんです。その上、ブラックボックス化しています。ある統計を前提として統計を取って、それをまた前提として統計を取るみたいなことが起こって積み重なっているんです。

AIの仕組みも積み重ねですから、第一段階のAIがあって、その判断を前提としたAIが動いて、それを前提としたAIがまた動く。そんなのが三つぐらいつながったらもう滅茶苦茶です。そういう脆弱《ぜいじゃく》な統計を拠り所にして問題が解決できると考えていること自体が、リテラシーが非常に低いということですね。先生がおっしゃる「バカの壁」です。

先ほど、アメリカでAIを犯罪捜査や裁判で使っているという話をしましたけど、アメリカという国は、どうしてそうなってしまうんでしょうか。

養老　それぞれの社会は履歴を持っていますね。歴史です。その中で、暗黙の裡《うち》にほどほどに落としどころを見つけるのが伝統的な社会だと思います。アメリカはその点ちょっと若い社会で、やることが乱暴ですね。それを伝統的な社会の日本が手本にしているという変なことになっていますね。

新井　日本は、どうしてそれを手本にするんでしょうか。

養老　一つは敗戦でしょうね。それから、もう一つは、アメリカ流のいいところもあって、新しいものがどんどん出てくる。ＡＩもそうですよね。

新井　この間、とっても面白いビデオを観ました。アレクサというＡＩスピーカーは、「電気つけて」とか、「新井さんに明日の待ち合わせを八時に変更してくださいとメールしておいて」とか話しかけるとやっておいてくれる。そしたら、オウムを飼っている家の様子を撮影したビデオがあって、オウムが人間の真似をして「アレクサ、電気消して」と言うんですよ。すると、電気が消えるんです。可笑《おか》しいですね。そのうち、オウムの命令で勝手にメールが送られたりするんですよ、きっと。

あんないい加減なものを、製造者責任も考えずに社会に出してしまうというところが、アメリカの底抜けなところだなとは思います。それが、新しいことをどんどんやるスピリットなんでしょうね。自由競争を大切にしたいから、格差があっても仕方ない。自己責任だから、保険がなくて道端で死ぬ人がいてもいいって。

日本は「お互いさま」の国だったりもしますよね。キリスト教の国のように教会の活動に組み込まれたチャリティとかボランティアはありませんけど、袖すり合うも他生《たしよう》の縁とか、情けは人の為ならずとか、そんな「お互いさま精神」のようなことでなんとなくやってきたところがあると思うんです。

でも、なんとなくやってきたことは、壊れ始めたらすぐになくなっちゃったという気もしています。私の受けている印象では、今はまさにそういう感じです。お互いさまとか、ご近所付き合いとか、地域で子どもを育てるというのが、この三〇年くらいで急速に失われました。三〇年といえば一世代です。生活のスタイルとか人間同士の関係性が一世代で変わってしまうというのは、恐ろしいことだと思うんです。人は生き物だから、そんなことに耐えられるとは思えないなって。

インターネットにずっと接続していてテキスト（文字）だけでやり取りするというのは、人間が何万年も生きてきて初めてのことですよね。よく耐えられるなと思います。

人はバーチャルで生きていけるか

養老　人間ってちょっと変わった生き物で、バーチャルで生きていけるんですよ。いわゆる現実から離陸しちゃっても。だから、多分、平気だと思いますよ。もともと、そうでしたから。だって、かなり前からそうですよ。制度とか肩書とかみんなバーチャルです。頭の中にしかありませんから。

新井　でも、やっぱり無理しているところはありませんか。スマートフォンだけを見ているって、生き物としておかしくないですか。こんな小さな画面だけで世界を見ている。タップしたりスワイプして画面が変わったら頭が切り替わってしまいます。リンクをクリックして別のところへ行ったら、前に何を見ていたかなんてだいたいわからなくなってしまいます。

そんなことをしていると、ホリスティックに世界を理解することなんかできるはずがなくて、スマートフォンの小さな画面の中だけでいつも何かブツブツつぶやいているという世界になってしまっています。ホリスティックに他者を理解していれば、「あ、あいつって、こういう奴だよね」「変なこと言ってたけれど、あいつのことだから、こんなこと言うときもあるよな」みたいに、ちょっとした行き違いがあっても、許し合えたりわかり合えたりできます。ホリスティックな理解が信頼関係を支えているからです。それがなくなると、テキストのここの部分がけしからんとか、傷付けられたとか、そういう話になってしまうので、すごく貧しいと思うんです。

直接ひざを突き合わせるとか、他者の全体像を知るとか、そういうことを抜きに、スマートフォンのタップとスワイプだけで理解しようとすると、非常に浅く、そして先鋭化して、対立が起こりやすくなって、それこそ、いい感じの落としどころが探れなくなっていくんじゃないかなと思うんです。

人間というのは、他者との信頼関係がないと息苦しくなるのだと思います。コミュニティの中にいないと生きていけない。それがお互いさまということだと思うんです。でも、今は、宇宙の中にたった一人でポツンといるみたいな感じになっている人が多くて、お互いさまじゃなくなっている。そういう感じがします。

AIに危機管理はできない

養老　今の人って、物事は予測がつくという考え方をしますね。できるわけないのに、予測できない方が悪いと思い違いしています。世界は論理的、合理的にできているから予測可能なはずだと。予測できない状況というのが非常に不安なんですね。

村山内閣のときに危機管理に関する委員会ができて、その委員になれと言われたんです。「僕が危機管理？　なんで？　僕が解剖している人は全部死んじゃってて、危機は終わってるのに」と言ったんですけど、会議に出て何か言えと言われたので、仕方なしに「管理できない状況を危機っていうんじゃないんですか？」って言いました。相手にされませんでしたけどね。予測できるから危機は管理できるはずで、管理しなければならない、というような考え方が主流を占めていたような気がします。でも、危機管理って、その言葉自体が矛盾でしょ。

新井　危機管理という言葉ができることによって、「管理することになっているから管理できることにしよう」というように、話が捻転《ねんてん》するのでしょう。「非戦闘地域には派遣しないことになっている自衛隊がいるところが非戦闘地域だ」というのと同じですね。

養老　ＡＩがその筆頭でしょうけど、コンピュータが一番それをやるでしょ。「ああすればこうなる」「こうやったら売れる」「こうやったら、こう動く」と。それが、一番正しいやり方だって答えを出してくれる。合ってるかどうかは別ですけどね。

新井　でも、実は、ＡＩが一番苦手なのが危機管理なんですよ。ＡＩには定常状態しか予測できないんです。だから、ゲリラ豪雨とか地震とか墜落とか、想定外のことは予測できません。なぜかというと、滅多に起こらないことは、統計データにほとんど現れないので学習のしようがないからです。

養老　それじゃ、ＡＩに危機管理は無理ですね。それで、原発事故のときは、今度は「想定外」って言い出した。一方で想定できない方が悪い、という話も出てくる。まあ、原発の場合は、危機管理なんかできっこないんだから、危ないものは作っちゃいけないというのが当たり前でしょうけれど、そういうことにはならなくて、「想定外だった」「いや、予想できたはずだ」という話になっているんですね。

わからないことがあっちゃいけない――バカの壁

養老　人生って想定外のことが起きるんですよ。その常識がなくなってしまって、何でも想定しなきゃいけない、というのが圧力になってしまっていますね。子どもの育て方がそうです。わからないことがあっちゃいけない。

新井　まさにおっしゃる通りで、拙著『ＡＩ vs. 教科書が読めない子どもたち』に対して、「子どもたちが文章を読めないことはわかった。でも、じゃあ、どうすればいいのか書いていない」という批判がものすごく多いんですよ。それがショックでした。研究者として誠実にファクトを調査して報告したのだから、それを受け止めて各自、考えたり試行錯誤したりすればいいと思うんです。なのに、問題提起するなら処方箋をセットで寄こせ、と平然と言う。何にでも答えがあって誰かが教えてくれると思っている人があまりに多くて驚きました。

養老　昨日、たまたまブータンを舞台にした映画を観たんです。お父さんがお坊さんで、お寺を息子に継がせたいと思っている。ブータンでも息子はネットもやるし、現代っ子なんです。当然、寺を継ぐかどうか悩んでいます。一時間半の映画に答えはありません。お坊さんになるともならないとも決めずに終わっていました。それを観てすごく気持ち良かった。現実ってこうだよね、そんな簡単に答えなんか出す必要ないんだって。ああ、なるほど、ブータンの子どもも同じ問題を抱えて、悩んでるんだって、それだけでいいでしょう。ハリウッドだと、おそらくどっちかに決めるんじゃないですかね。

新井　そう思います。

養老　それが今の人に一番欠けていることですね。答えが書いていない、と不満を言うのは、そういうことですね。書いていないから面白くて、気持ちがいいはずなのに。

新井　「バカの壁」って、そういうことだと思うんです。「どうしたらいいか書いていない」と批判するのは、教えてもらわなかったら自分は何もできませんと告白しているようなものなのに、そのことに気づいていないんです。

養老　それ、僕もよく聞かれますよ。

新井　「バカの壁、どうやって乗り越えればいいですか？」

養老　その質問は、数え切れないくらい受けました。直感で言うと、きちんと会社勤めしている人というのは、多分、そういう人ですね。答えが欲しい。そういう人と話していても、あまり面白くありませんね。全員ではないですよ、もちろん。

人間っていろんなことができるんですよ。それは、身体だけ見ててもよくわかるんです。僕の知り合いに本当にいろんなことをできる奴がいるんですけど、蝶の卵を採るために四〇〜五〇メートルの木のてっぺんまでサッと登っていくんです。でも、見つからないときもあるんですよ。そしたら、隣の木に飛び移るんです。まるでサルですよ。彼は言うんです。サルにできることがヒトにできないわけないだろうって。

最初からできないって決めていたら、何もできませんね。でも、やろうと思ったら、できるようになるかもしれない。誰かに教わるわけじゃないですよ。自分で考える。だから、何でもかんでも教えちゃダメなんです。

一二歳くらいの子どもをジャングルに連れていくとしますよね。最初は怖がって何もできませんよ。でも、一週間も放り込んでおいたら、元気が出てきたりします。何でも自分で考えてやるようになります。

そういう意味で、僕は楽天的です。生き物は適応能力が非常に高いんですよ。特に、生死に関わるようなことになると、俄然、能力が出てきます。それから、責任を持たせると能力を発揮します。だから、若い人を育てるのに一番いいのは責任を持たせることだと、いつも言っています。

新井　昔、「お使い」ってありましたよね。十円玉とか五十円玉を握らされて、お豆腐屋さんに行って、いい加減なことをしているとお豆腐がぐちゃぐちゃになって、叱られます。だから、お豆腐が壊れないようにどうやって持とうかって真剣に考えました。キャベツ一つ買うにしても、どっちが大きいかとか、柔らかそうかとか、しっかり巻いているかとか、真剣だったように思います。今はその真剣さがなくなったというか。

養老　全部、シミュレーションだね。

新井　そうなんです。そうすると、結局、ずっと自分では何も考えないで、教えてもらうだけで二二年生きてしまうんですね。そして、大学を卒業して社会に出て、突然、答えのない問題を解決しろと言われても困るということになっています。

動物と人間の根本的な違いとは

養老　昔は修羅場《しゅらば》を踏むという言葉がありましたね。修羅場を踏んだ人は顔でわかりました。日本だけじゃありませんね。基本的に子どもを育てるのが上手でなくなっている気がします。日本の場合、そういうムードになっていますね。だから少子化なんでしょ。自然の状態がわかんなくなっちゃったから。子どもがいるのが、子どもが育つのが自然の状態ですけど、東京なんか自然がないもんね。「杉林があって自然がいっぱいです」って、違うよ、杉林は人間が植えてるんだよ。そういう区別もついていません。

だから、ネットの世界だけでなく、むしろ実体の世界も同じようにシミュレーションになっているんですね。本当の自然とまで言うつもりはありませんが、もうちょっと、シミュレーションじゃなくて、そういうものを剝《は》いだ生の五感、感覚を使ってほしいということを『遺言。』（新潮新書）という本に書きました。

動物と人間の違いはそこにあります。動物は感覚で生きていますから、一般化できません。それを僕は「『同じ』がわからない」と書いたんです。まあ、スマートフォンを見ていても視覚は使いますけどね。でも、自然の中で使っている視覚とは全然違う。

新井　視覚と聴覚に重きが置かれ過ぎていますよね。五感のうち二覚しか使っていないのはおかしいと思います。二覚しか使っていない世界が、五感を使う世界と同じわけがないのに、なぜそれを同じだと思ってしまうのかが理解できません。

「食べログ」なんかは、その典型ですね。地方に行って何か美味しいものを食べようと思って「食べログ」を開くとします。そしたら、結構上の方に、チェーン店の牛丼屋さんとかファミレスがランキングされています。「せっかく地方に来たのにどうしてチェーン店?」と思いますね。食べなきゃいいだけですけどね。

だいたい、食べ物に点数を付けて、それを参考にしようというのが、生き物として終わっていると思います。自分の嗅覚で探さなきゃダメだと思うんですよ。評価の星の数が多いところで食べて美味しい気持ちになってしまうこと自体、生き物としておかしい。それが、五感を削いでいることに気がつかない。生き物として悲しい。

わからないことを面白がる

新井　小学校の算数では三角形と平行四辺形、台形、円の面積の求め方を習いますけど、私は、そこで終わらせないでほしいと思うんです。世の中には他にもいろいろな形があって、小学校の算数では測れないものもあります。

琵琶湖は円ではないので小学校の算数では面積を求められない。そういうものの面積を測るには積分が必要になる。でも、学校では「今は、琵琶湖の面積は求められないけれど、もっと勉強すると測れるようになるんだよ」とは言わない。これができた、あれができた、ということしか学校では学ばないんです。そして、その単元で、できるべきことができた生徒が優秀なんです。

でも、できる話はつまらないでしょう。公式を覚えるだけですから。できないことの方が圧倒的に多いし、面白い。今はできないけれど、高校生になればできるようになることもある。その一方で、大学の先生にもわからないことがある。
　科学なんてたいしたことないんです。物質は温度で体積が変わりますが、水だと摂氏四度あたりで一番体積が小さくなります。でも、なぜそうなるのかはわかっていません。そんなものです。できることを教えた後で、そういうことも学校で教えてほしい。今できないことも勉強したらできるようになることもあるから、進級や進学が待ち遠しい。どんなに勉強してもわからないことが山ほどあるから面白い。そう子どもには感じてほしいのです。昆虫の世界にもそういうことってありませんか。

養老　虫の長さを測るだけでも、実は難しいですよ。図鑑を見ると簡単に体長何ミリって書いてありますけどね。だいたい、関節は伸びますからね。固まったら曲がっちゃうし。だから、頭と胸と全部バラして一個一個測るんです。それでも測定誤差があります。何回脱皮するかでも体長は変わります。七回脱皮した虫はでかいんだけど六回の虫は小さい。だから、正規分布にはなりません。ならないのがテーマなんです。僕の学位論文はそれですから。

新井　正規分布になるって、みんな信じてますよ。

養老　なるはずないんです。

新井　だから、できないとか、わからないことが面白いんですよね。ＡＩ研究の世界では、人間の脳のシステムが解明されて、それを応用すればＡＩが人間の脳を超える日が来るなんてことを大真面目に信じている人がいますけれど、虫の長さだって測れないのに、人間の脳が解明できるはずがないですよね。勘弁してくださいよという感じです。もっと、わからないことを面白がらないといけませんね。

構成――古川雅子（第１～３章）、岩本宣明（第４章）

初出一覧
第１章：「最善手の見つけ方」養老孟司＆羽生善治
（『Voice』2020年１月号）
第４章：養老孟司×新井紀子「バカの壁」対談〈上〉～〈下〉
―「バカの壁」はネット時代にますます高くなる
―データですべてわかると盲信する「バカの壁」
―わからないことが許せないという「バカの壁」
（東洋経済オンライン2018年6月29日、7月6日、7月13日記事）

PHP新書

PHP INTERFACE
https://www.php.co.jp/

養老孟司［ようろう・たけし］

1937年、鎌倉市生まれ。東京大学医学部卒業後、解剖学教室に入る。95年、東京大学医学部教授を退官し、同大学名誉教授に。89年、『からだの見方』（筑摩書房）でサントリー学芸賞を受賞。著書に『唯脳論』（青土社・ちくま学芸文庫）、『バカの壁』『遺言。』（以上、新潮新書）、『日本のリアル』『文系の壁』『半分生きて、半分死んでいる』（以上、PHP新書）他多数。

AIの壁
（PHP新書 1234）

人間の知性を問いなおす

二〇二〇年十月十二日　第一版第一刷

著者――養老孟司
発行者――後藤淳一
発行所――株式会社PHP研究所
東京本部――〒135-8137 江東区豊洲5-6-52
第一制作部PHP新書課 ☎03-3520-9615（編集）
普及部 ☎03-3520-9630（販売）
京都本部――〒601-8411 京都市南区西九条北ノ内町11
組版――有限会社メディアネット
装幀者――芦澤泰偉＋児崎雅淑
印刷所
製本所――図書印刷株式会社

ISBN978-4-569-84733-7

ＰＨＰ新書刊行にあたって

「繁栄を通じて平和と幸福を」（PEACE and HAPPINESS through PROSPERITY）の願いのもと、ＰＨＰ研究所が創設されて今年で五十周年を迎えます。その歩みは、日本人が先の戦争を乗り越え、並々ならぬ努力を続けて、今日の繁栄を築き上げてきた軌跡に重なります。

しかし、平和で豊かな生活を手にした現在、多くの日本人は、自分が何のために生きているのか、どのように生きていきたいのかを、見失いつつあるように思われます。そして、その間にも、日本国内や世界のみならず地球規模での大きな変化が日々生起し、解決すべき問題となって私たちのもとに押し寄せてきます。

このような時代に人生の確かな価値を見出し、生きる喜びに満ちあふれた社会を実現するために、いま何が求められているのでしょうか。それは、先達が培ってきた知恵を紡ぎ直すこと、その上で自分たち一人一人がおかれた現実と進むべき未来について丹念に考えていくこと以外にはありません。

その営みは、単なる知識に終わらない深い思索へ、そしてよく生きるための哲学への旅でもあります。弊所が創設五十周年を迎えましたのを機に、ＰＨＰ新書を創刊し、この新たな旅を読者と共に歩んでいきたいと思っています。多くの読者の共感と支援を心よりお願いいたします。

一九九六年十月

ＰＨＰ研究所

PHP新書

［社会・教育］

117 社会的ジレンマ　山岸俊男
335 NPOという生き方　島田 恒
418 女性の品格　坂東眞理子
495 親の品格　坂東眞理子
504 生活保護vsワーキングプア　大山典宏
522 プロ法律家のクレーマー対応術　横山雅文
537 ネットいじめ　荻上チキ
546 本質を見抜く力——環境・食料・エネルギー　養老孟司／竹村公太郎
586 理系バカと文系バカ　竹内 薫［著］／嵯峨野功一［構成］
602 「勉強しろ」と言わずに子供を勉強させる法　小林公夫
618 世界一幸福な国デンマークの暮らし方　千葉忠夫
621 コミュニケーション力を引き出す　平田オリザ／蓮行
629 テレビは見てはいけない　苫米地英人
632 あの演説はなぜ人を動かしたのか　川上徹也
681 スウェーデンはなぜ強いのか　北岡孝義
692 女性の幸福［仕事編］　坂東眞理子
706 日本はスウェーデンになるべきか　高岡 望
720 格差と貧困のないデンマーク　千葉忠夫
741 本物の医師になれる人、なれない人　小林公夫
780 幸せな小国オランダの智慧　紺野 登
783 原発「危険神話」の崩壊　池田信夫
786 新聞・テレビはなぜ平気で「ウソ」をつくのか　上杉 隆
789 「勉強しろ」と言わずに子供を勉強させる言葉　小林公夫
792 「日本」を捨てよ　苫米地英人
819 日本のリアル　養老孟司
823 となりの闇社会　一橋文哉
828 ハッカーの手口　岡嶋裕史
829 頼れない国でどう生きようか　加藤嘉一／古市憲寿
832 スポーツの世界は学歴社会　橘木俊詔／齋藤隆志
847 子どもの問題　いかに解決するか　岡田尊司／魚住絹代
854 女子校力　杉浦由美子
857 大津中2いじめ自殺　共同通信大阪社会部
858 中学受験に失敗しない　高濱正伸
869 若者の取扱説明書　齋藤 孝
870 しなやかな仕事術　林 文子
872 この国はなぜ被害者を守らないのか　川田龍平
875 コンクリート崩壊　溝渕利明
879 原発の正しい「やめさせ方」　石川和男

1128 男性という孤独な存在　橘木俊詔
1140 「情の力」で勝つ日本　日下公人
1144 未来を読む　ジャレド・ダイアモンドほか[著]／大野和基[インタビュー・編]
1146 「都市の正義」が地方を壊す　山下祐介
1149 世界の路地裏を歩いて見つけた「憧れのニッポン」　早坂 隆
1150 いじめを生む教室　荻上チキ
1151 オウム真理教事件とは何だったのか？　一橋文哉
1154 孤独の達人　諸富祥彦
1161 貧困を救えない国 日本　阿部彩／鈴木大介
1164 ユーチューバーが消滅する未来　岡田斗司夫
1183 本当に頭のいい子を育てる 世界標準の勉強法　茂木健一郎
1190 なぜ共働きも専業もしんどいのか　中野円佳
1201 未完の資本主義　ポール・クルーグマンほか[著]／大野和基[インタビュー・編]
1202 トイレは世界を救う　ジャック・シム[著]／近藤奈香[訳]
1219 本屋を守れ　藤原正彦
1223 教師崩壊　妹尾昌俊
1229 大分断　エマニュエル・トッド[著]／大野 舞[訳]

[知的技術]

003 知性の磨きかた　林 望
025 ツキの法則　谷岡一郎
112 大人のための勉強法　和田秀樹
180 伝わる・揺さぶる！文章を書く　山田ズーニー
203 上達の法則　岡本浩一
305 頭がいい人、悪い人の話し方　樋口裕一
399 ラクして成果が上がる理系的仕事術　鎌田浩毅
438 プロ弁護士の思考術　矢部正秋
573 1分で大切なことを伝える技術　齋藤 孝
646 世界を知る力　寺島実郎
673 本番に強い脳と心のつくり方　苫米地英人
718 必ず覚える！1分間アウトプット勉強法　齋藤 孝
737 超訳 マキャヴェリの言葉　本郷陽二
747 相手に9割しゃべらせる質問術　おちまさと
749 世界を知る力 日本創生編　寺島実郎
762 人を動かす対話術　岡田尊司
768 東大に合格する記憶術　宮口公寿
805 使える！「孫子の兵法」　齋藤 孝
810 とっさのひと言で心に刺さるコメント術　おちまさと
835 世界一のサービス　下野隆祥
838 瞬間の記憶力　楠木早紀

846 幸福になる「脳の使い方」 茂木健一郎
851 いい文章には型がある 吉岡友治
876 京大理系教授の伝える技術 鎌田浩毅
878 [実践] 小説教室 根本昌夫
886 クイズ王の「超効率」勉強法 日高大介
899 脳を活かす伝え方、聞き方 茂木健一郎
929 人生にとって意味のある勉強法 隂山英男
933 すぐに使える! 頭がいい人の話し方 齋藤 孝
944 日本人が一生使える勉強法 竹田恒泰
983 辞書編纂者の、日本語を使いこなす技術 飯間浩明
1002 高校生が感動した微分・積分の授業 山本俊郎
1054 「時間の使い方」を科学する 一川 誠
1068 雑談力 百田尚樹
1078 東大合格請負人が教える できる大人の勉強法 時田啓光
1113 高校生が感動した確率・統計の授業 山本俊郎
1127 一生使える脳 長谷川嘉哉
1133 深く考える力 田坂広志
1171 国際線機長の危機対応力 横田友宏
1186 実行力 橋下 徹
1216 ドラえもんを本気でつくる 大澤正彦
1222 コミュニケーション・ストレス 黒川伊保子

［歴史］

061 なぜ国家は衰亡するのか 中西輝政
286 歴史学ってなんだ? 小田中直樹
505 旧皇族が語る天皇の日本史 竹田恒泰
591 対論・異色昭和史 鶴見俊輔／上坂冬子
663 日本人として知っておきたい近代史[明治篇] 中西輝政
734 謎解き「張作霖爆殺事件」 加藤康男
738 アメリカが畏怖した日本 渡部昇一
748 詳説〈統帥綱領〉 柘植久慶
755 日本人はなぜ日本のことを知らないのか 竹田恒泰
761 真田三代 平山 優
776 はじめてのノモンハン事件 森山康平
784 日本古代史を科学する 中田 力
791 『古事記』と壬申の乱 関 裕二
848 院政とは何だったか 岡野友彦
865 徳川某重大事件 徳川宗英
903 アジアを救った近代日本史講義 渡辺利夫
922 木材・石炭・シェールガス 石井 彰
943 科学者が読み解く日本建国史 中田 力
968 古代史の謎は「海路」で解ける 長野正孝
1001 日中関係史 岡本隆司
1012 古代史の謎は「鉄」で解ける 長野正孝

1015 徳川がみた「真田丸の真相」 徳川宗英
1028 歴史の謎は透視技術「ミュオグラフィ」で解ける 田中宏幸／大城道則
1037 なぜ二宮尊徳に学ぶ人は成功するのか 松沢成文
1057 なぜ会津は希代の雄藩になったか 中村彰彦
1061 江戸はスゴイ 堀口茉純
1064 真田信之 父の知略に勝《まさ》った決断力 平山 優
1071 国際法で読み解く世界史の真実 倉山 満
1074 龍馬の「八策」 松浦光修
1075 誰が天照大神を女神に変えたのか 武光 誠
1077 三笠宮と東條英機暗殺計画 加藤康男
1085 新渡戸稲造はなぜ『武士道』を書いたのか 草原克豪
1086 日本にしかない「商いの心」の謎を解く 呉 善花
1096 名刀に挑む 松田次泰
1097 戦国武将の病《やまい》が歴史を動かした 若林利光
1104 一九四五 占守島の真実 相原秀起
1107 ついに「愛国心」のタブーから解き放たれる日本人 ケント・ギルバート
1108 コミンテルンの謀略と日本の敗戦 江崎道朗
1111 北条氏康 関東に王道楽土を築いた男 伊東 潤／板嶋常明
1115 古代の技術を知れば、『日本書紀』の謎が解ける 長野正孝
1116 国際法で読み解く戦後史の真実 倉山 満
1118 歴史の勉強法 山本博文
1121 明治維新で変わらなかった日本の核心 猪瀬直樹／磯田道史
1123 天皇は本当にただの象徴に堕ちたのか 竹田恒泰
1129 物流は世界史をどう変えたのか 玉木俊明
1130 なぜ日本だけが中国の呪縛から逃れられたのか 石 平
1138 吉原はスゴイ 堀口茉純
1141 福沢諭吉 しなやかな日本精神 小浜逸郎
1142 卑弥呼以前の倭国五〇〇年 大平 裕
1152 日本占領と「敗戦革命」の危機 江崎道朗
1160 明治天皇の世界史 倉山 満
1167 吉田松陰『孫子評註』を読む 森田吉彦
1168 特攻 知られざる内幕 戸髙一成［編］
1176 「縄文」の新常識を知れば 日本の謎が解ける 関 裕二
1177 「親日派」朝鮮人 消された歴史 拳骨拓史
1178 歌舞伎はスゴイ 堀口茉純
1181 日本の民主主義はなぜ世界一長く続いているのか 竹田恒泰
1185 戦略で読み解く日本合戦史 海上知明
1192 中国をつくった12人の悪党たち 石 平

1194 太平洋戦争の新常識　歴史街道編集部［編］
1197 朝鮮戦争と日本・台湾「侵略」工作　江崎道朗
1199 関ヶ原合戦は「作り話」だったのか　渡邊大門
1206 ウェストファリア体制　倉山 満
1207 本当の武士道とは何か　菅野覚明
1209 満洲事変　宮田昌明
1210 日本の心をつくった12人　石 平
1213 岩崎小彌太　武田晴人
1217 縄文文明と中国文明　関 裕二
1218 戦国時代を読み解く新視点　歴史街道編集部［編］
1228 太平洋戦争の名将たち　歴史街道編集部［編］

［経済・経営］

187 働くひとのためのキャリア・デザイン　金井壽宏
379 なぜトヨタは人を育てるのがうまいのか　若松義人
450 トヨタの上司は現場で何を伝えているのか　若松義人
543 ハイエク 知識社会の自由主義　池田信夫
587 微分・積分を知らずに経営を語るな　内山 力
594 新しい資本主義　原 丈人
620 自分らしいキャリアのつくり方　高橋俊介
752 日本企業にいま大切なこと　野中郁次郎／遠藤 功
852 ドラッカーとオーケストラの組織論　山岸淳子
882 成長戦略のまやかし　小幡 績
887 そして日本経済が世界の希望になる
ポール・クルーグマン［著］／山形浩生［監修・解説］／大野和基［訳］
892 知の最先端　クレイトン・クリステンセンほか［著］／
大野和基［インタビュー・編］
901 ホワイト企業　高橋俊介
908 インフレどころか世界はデフレで蘇る　中原圭介
932 なぜローカル経済から日本は甦るのか　冨山和彦
958 ケインズの逆襲、ハイエクの慧眼　松尾 匡
973 ネオアベノミクスの論点　若田部昌澄
980 三越伊勢丹 ブランド力の神髄　大西 洋
984 逆流するグローバリズム　竹森俊平
985 新しいグローバルビジネスの教科書　山田英二
998 超インフラ論　藤井 聡
1003 その場しのぎの会社が、なぜ変われたのか　内山 力
1023 大変化――経済学が教える二〇二〇年の日本と世界　竹中平蔵
1027 戦後経済史は嘘ばかり　髙橋洋一
1029 ハーバードでいちばん人気の国・日本　佐藤智恵
1033 自由のジレンマを解く　松尾 匡
1034 日本経済の「質」はなぜ世界最高なのか　福島清彦
1039 中国経済はどこまで崩壊するのか　安達誠司

［**人生・エッセイ**］

1067 実践・快老生活　渡部昇一
1112 95歳まで生きるのは幸せですか?　池上 彰／瀬戸内寂聴
1132 半分生きて、半分死んでいる　養老孟司
1134 逃げる力　百田尚樹
1147 会社人生、五十路の壁　江上 剛
1148 なにもできない夫が、妻を亡くしたら　野村克也
1158 プロ弁護士の「勝つ技法」　矢部正秋
1179 なぜ論語は「善」なのに、儒教は「悪」なのか　石 平
1211 保険ぎらい　荻原博子

［思想・哲学］

032 〈対話〉のない社会　中島義道
058 悲鳴をあげる身体　鷲田清一
086 脳死・クローン・遺伝子治療　加藤尚武
204 はじめての哲学史講義　鷲田小彌太
468 「人間嫌い」のルール　中島義道
492 自由をいかに守るか ハイエクを読み直す　渡部昇一
856 現代語訳 西国立志編　サミュエル・スマイルズ［著］／中村正直［訳］／金谷俊一郎［現代語訳］
884 田辺元とハイデガー　合田正人
976 もてるための哲学　小川仁志
1095 日本人は死んだらどこへ行くのか　鎌田東二
1117 和辻哲郎と昭和の悲劇　小堀桂一郎
1159 靖國の精神史　小堀桂一郎
1215 世界史の針が巻き戻るとき　マルクス・ガブリエル

［政治・外交］

318・319 憲法で読むアメリカ史（上・下）　阿川尚之
426 日本人としてこれだけは知っておきたいこと　中西輝政
745 官僚の責任　古賀茂明
826 迫りくる日中冷戦の時代　中西輝政
841 日本の「情報と外交」　孫崎 享
874 憲法問題　伊藤 真
881 官房長官を見れば政権の実力がわかる　菊池正史
891 利権の復活　古賀茂明
893 語られざる中国の結末　宮家邦彦
898 なぜ中国から離れると日本はうまくいくのか　石 平
920 テレビが伝えない憲法の話　木村草太
931 中国の大問題　丹羽宇一郎
954 哀しき半島国家 韓国の結末　宮家邦彦
964 中国外交の大失敗　中西輝政
965 アメリカはイスラム国に勝てない　宮田 律
967 新・台湾の主張　李 登輝

972 安倍政権は本当に強いのか　御厨 貴
979 なぜ中国は覇権の妄想をやめられないのか　石 平
982 戦後リベラルの終焉　池田信夫
986 こんなに脆い中国共産党　日暮高則
988 従属国家論　佐伯啓思
989 東アジアの軍事情勢はこれからどうなるのか　能勢伸之
993 中国は腹の底で日本をどう思っているのか　富坂 聰
999 国を守る責任　折木良一
1000 アメリカの戦争責任　竹田恒泰
1005 ほんとうは共産党が嫌いな中国人　宇田川敬介
1008 護憲派メディアの何が気持ち悪いのか　潮 匡人
1014 優しいサヨクの復活　島田雅彦
1019 愛国ってなんだ　民族・郷土・戦争　古谷経衡［著］／奥田愛基［対談者］
1024 ヨーロッパから民主主義が消える　川口マーン惠美
1031 中東複合危機から第三次世界大戦へ　山内昌之
1042 だれが沖縄を殺すのか　ロバート・D・エルドリッヂ
1043 なぜ韓国外交は日本に敗れたのか　武貞秀士
1045 世界に負けない日本　薮中三十二
1058 「強すぎる自民党」の病理　池田信夫
1060 イギリス解体、EU崩落、ロシア台頭　岡部 伸
1066 習近平はいったい何を考えているのか　丹羽宇一郎
1076 日本人として知っておきたい「世界激変」の行方　中西輝政
1082 日本の政治報道はなぜ「嘘八百」なのか　潮 匡人
1083 なぜローマ法王は世界を動かせるのか　徳安 茂
1089 イスラム唯一の希望の国　日本　宮田 律
1090 返還交渉　沖縄・北方領土の「光と影」　東郷和彦
1122 強硬外交を反省する中国　宮本雄二
1124 チベット　自由への闘い　櫻井よしこ
1135 リベラルの毒に侵された日米の憂鬱　ケント・ギルバート
1137 「官僚とマスコミ」は嘘ばかり　髙橋洋一
1153 日本転覆テロの怖すぎる手口　兵頭二十八
1155 中国人民解放軍　茅原郁生
1157 二〇二五年、日中企業格差　近藤大介
1163 A―監視社会・中国の恐怖　宮崎正弘
1169 韓国壊乱　櫻井よしこ／洪 熒
1180 プーチン幻想　グレンコ・アンドリー
1188 シミュレーション日本降伏　北村 淳
1189 ウイグル人に何が起きているのか　福島香織
1196 イギリスの失敗　岡部 伸
1208 アメリカ 情報・文化支配の終焉　石澤靖治
1212 メディアが絶対に知らない2020年の米国と日本　渡瀬裕哉
1225 ルポ・外国人ぎらい　宮下洋一
1226 「NHKと新聞」は嘘ばかり　髙橋洋一

895 他人を攻撃せずにはいられない人　片田珠美
910 がんばっているのに愛されない人　加藤諦三
918 「うつ」だと感じたら他人に甘えなさい　和田秀樹
942 話が長くなるお年寄りには理由《わけ》がある　増井幸恵
952 プライドが高くて迷惑な人　片田珠美
953 なぜ皮膚はかゆくなるのか　菊池　新
956 最新版「うつ」を治す　大野　裕
977 悩まずにはいられない人　加藤諦三
992 高学歴なのになぜ人とうまくいかないのか　加藤俊徳
1063 すぐ感情的になる人　片田珠美
1091 「損」を恐れるから失敗する　和田秀樹
1094 子どものための発達トレーニング　岡田尊司
1131 愛とためらいの哲学　岸見一郎
1195 子どもを攻撃せずにはいられない親　片田珠美
1205 どんなことからも立ち直れる人　加藤諦三
1214 改訂版 社会的ひきこもり　斎藤　環
1224 メンヘラの精神構造　加藤諦三

［**文学・芸術**］

258 「芸術力」の磨きかた　林　望
343 ドラえもん学　横山泰行
415 本の読み方 スロー・リーディングの実践　平野啓一郎
421 「近代日本文学」の誕生　坪内祐三
497 すべては音楽から生まれる　茂木健一郎
519 團十郎の歌舞伎案内　市川團十郎
578 心と響き合う読書案内　小川洋子
581 ファッションから名画を読む　深井晃子
588 小説の読み方　平野啓一郎
731 フランス的クラシック生活
ルネ・マルタン［著］／高野麻衣［解説］
781 チャイコフスキーがなぜか好き　亀山郁夫
820 心に訊《き》く音楽、心に効く音楽　高橋幸宏
843 仲代達矢が語る 日本映画黄金時代　春日太一
905 美　福原義春
913 源静香は野比のび太と結婚するしかなかったのか　中川右介
916 乙女の絵画案内　和田彩花
949 肖像画で読み解くイギリス史　齊藤貴子
951 棒を振る人生　佐渡　裕
959 うるわしき戦後日本
ドナルド・キーン／堤　清二（辻井　喬）［著］
1009 アートは資本主義の行方を予言する　山本豊津
1021 至高の音楽　百田尚樹
1030 ジャズとエロス　牧山純子
1035 モネとジャポニスム　平松礼二

1038 山本周五郎で生きる悦びを知る　福田和也
1052 生きてるぜ！ ロックスターの健康長寿力　大森庸雄
1103 倍賞千恵子の現場　倍賞千恵子
1109 超・戦略的！ 作家デビューマニュアル　五十嵐貴久
1126 大量生産品のデザイン論　佐藤 卓
1145 美貌のひと　中野京子
1165 《受胎告知》絵画でみるマリア信仰　高階秀爾
1191 名画という迷宮　木村泰司
1221 太宰を読んだ人が迷い込む場所　齋藤 孝

［宗教］

123 お葬式をどうするか　ひろさちや
300 梅原猛の『歎異抄』入門　梅原 猛
849 禅が教える 人生の答え　枡野俊明
868 あなたのお墓は誰が守るのか　枡野俊明
955 どうせ死ぬのになぜ生きるのか　名越康文

［演劇・映画］

995 大林宣彦の体験的仕事論　大林宣彦［語り］／中川右介［構成］

［言語・外国語］

996 にほんご歳時記　山口謠司
1011 みっともない女　川北義則
1110 実践 ポジティブ心理学　前野隆司

［自然・生命］

208 火山はすごい　鎌田浩毅
299 脳死・臓器移植の本当の話　小松美彦
777 どうして時間は「流れる」のか　二間瀬敏史
808 資源がわかればエネルギー問題が見える　鎌田浩毅
812 太平洋のレアアース泥が日本を救う　加藤泰浩
833 地震予報　串田嘉男
907 越境する大気汚染　畠山史郎
917 植物は人類最強の相棒である　田中 修
927 数学は世界をこう見る　小島寛之
928 クラゲ 世にも美しい浮遊生活　村上龍男／下村 脩
940 高校生が感動した物理の授業　為近和彦
970 毒があるのになぜ食べられるのか　船山信次
1016 西日本大震災に備えよ　鎌田浩毅